海老谷成臣・林秀人［著］
Ebitani Naruomi　Hayashi Hideto

会社や社員が犯罪に巻き込まれたときどうする

小さな事件からITセキュリティまで警察への依頼の仕方

人事・労務・総務担当者必携の実践マニュアル

技術評論社

はじめに

「こういう案件、今までどう対応していたの??」

私は小さい頃から正義の味方に憧れて、その延長で大学卒業後すぐに警察官になりました。制服に袖を通した瞬間まさにこれが天職だと感じ、以来悪を退治し困っている人を助ける仕事に没頭し、20年間でこの役割をやりきったなと思えるところまで来ました。

これまでの経験を活かしてもっと世の中を良くしたいという思いで民間企業に転職したのですが、その職場で何度も頭をよぎったのが冒頭の言葉です。

警察から転職して来たという異色の経歴を持つ私のところには、犯罪に関するありとあらゆる相談が寄せられました。

「社員が犯罪被害に遭ったのですが、どうすればいいですか？」
「社内で不正が起きているかもしれないのですが、どうすればいいですか？」
「会社に変な人が来ているのですが、どうすればいいですか？」

警察にいた時はこれらすべてが日常業務だったので、別に私でなくとも同僚であれば誰でもそれなりの対応をすることができました。

企業もある程度の規模になれば法務担当の方やお抱えの弁護士先生がいますが、訴訟に関する対応はできても犯罪の初動対応や警察とどう連携すればスムーズに事が運ぶかについてのノウハウを持っている人はほとんどいないのです。

会社内で起こる犯罪や巻き込まれる犯罪に対して正しく迅速に対応することは、被害やレピュテーションリスクを最小限にとどめるために極めて極めて重要なことなのですが、何が正しくてどこまでが最善の策なのかの基準や目安がわからないため、それらが適切にできていると自信を持って言える企業はほとんどないのではないでしょうか。

本書では、元警察官である筆者らが警察官時代に民間企業の方から相談された事例や、転職後にいろいろな民間企業の事例を見聞きする中で蓄積されたノウハウをまとめました。

警察は怖い、秘密組織っぽくてよくわからない、というようなイメージがあるかもしれませんが、この本によって企業と警察との連携がもっとうまくいくようになり、より良い世の中になっていくことを願ってやみません。

２０２４年　初夏　海老谷　成臣

※本書籍の印税は、犯罪被害者遺児の奨学金として活用していただきたく、公益財団法人犯罪被害救援基金に全額寄付します。

目次

第2章 反社がいきなりやってきた編 49

第4章 会社で起きた事件の対応編 …… 81

第1章

会社や社員が犯罪に巻き込まれちゃった編

インシデント1-1　それはある日、突然起こります

◆仕事にはトラブルがつきもの

契約書の内容に不備があったとか、取引先への支払いにミスがあったとか、棚卸しをしたら数が合わないとか、影響の大小はありますが、日々何かしらのトラブルが起きています。そしてこれらの事案が起きたとしても、どの企業でもそれなりに対応ができているはずです。しかし、次のようなことが起きた場合はどうでしょう。


「会社の備品が盗まれました。警察を呼んだほうがいいですか？」

「電話でクレーマーが社員を殺すと言っています。なんとかしてください！」

「問題の社員が欠勤して、まったく連絡がつきません。どうすればいいですか？」


こうした事案（インシデント）は何の前触れもなく、突然起こります。

仮にあなたのところにこうした連絡が今あったとしても、「そうか、じゃあ、こうしよう！」と自信を持って言えるでしょうか。

◆警察への正しい頼り方とは

最終的には警察に連絡すればなんとかなりそうな気はしますが、本当に連絡していいのか？　連絡したらどうなるのか？　なんだか怖いし、どうしよう……といった感じで不安にかられる方が多いかもしれません。

それもそのはず。警察というものは良くも悪くも近寄り難い組織です。できればかかわりたくないものです。

「別に悪いことをしているわけではないのにパトカーを見ると緊張する」という人はたくさんいますし、皆さんにとってそれだけ警察が怖い組織であり、頼るべきときであっても頼りにくい、頼り方がわからない――ということなのではないでしょうか。

職場で起こる可能性があるさまざまな犯罪や困りごと、迷惑ごとへの対処方法や考え方について本書は解説していきます。

◆不安が少ない労働環境を作ろう

皆さんがこれらの事案に対し正しく対応できるようになることは、職場の安全や精神衛生上も非常に重要ですし、社員が安心して働ける職場づくりに欠かせません。

病気になったら医者にかかるのが当たり前のように、困ったときに警察に頼るのは当然なのです。

本書を通して警察への正しい頼り方を学んでください。会社で起きる「警察沙汰」に対処できるようになると、社員の心理的安全性が高まります。それは健全な経営にもつながる大事な知恵になります。

【次の一手】 警察への正しい頼り方を学びましょう。

インシデント1-2

こんな時は110番していいの？

◆深刻になる前に御相談ください

「お客様とトラブルになった時、どういう状況になったら110番していいんですか？」——私が民間企業に転職してから何度も何度もされてきた質問です。

皆さんはそれだけ110番通報をすることに不安があり、判断を間違えてはいけないというプレッシャーがあるのかもしれません。そして真面目な方ほど「トラブル対応時のマニュアルを作成したいので、こういう状況になったら110番通報するという基準を作ってほしい」と依頼してくるのです。このような場合、次のようなレベル別対応表の作成が求められます。

- **レベル1**：相手が大声で威嚇している状況　⬇様子見
- **レベル2**：相手が机を叩いたり暴れようとしたりした　⬇警告
- **レベル3**：器物損壊や社員につかみかかるなどの実力行使に出た　⬇110番通報

しかし、私としてはこのようなレベル別対応表を作ることを勧めません。なぜなら、事件は千差万別だからです。一つとして同じものはありません。

たとえば、大声を出して社員につかみ掛かってきたのがおばあさんで、被害者の社員が屈強な男性だった場合、すぐに状況は収まるでしょう。この場合、必ずしも110番する必要はありません。逆に女性社員一人しかいない状況で複数のヤクザが大声で威嚇しはじめたら、物理的に暴れていなくてもすぐに110番したほうがいいでしょう。

杓子定規にマニュアルに従おうとするとおかしなことになります。真面目な社員ほど「この状況はまだレベル2の段階だから110番通報してはいけない」と言い出します。

◆すべては社員のために

そもそも何のために対応マニュアルを作ろうとしているのでしょうか？

真の目的は社員を守ることです。私が実際にアドバイスするのは「自分たちでは解決できないと思ったら遠慮なく110番してください」です。

すると「暴れていないのに110番したり、暴れて110番した後に相手がすぐにおとなしくなったり帰ったりしたら、あとで警察から怒られませんか？」という質問が必ず出てきますが、まったく問題ありません。

元警察官である私は通報を受けて駆けつける側だったのでハッキリと言いますが、到着した時にすでに状況が収まっていたというのは良いことです。むしろ、状況がひどくなって被害が発生してしまうと被害者の方にも気の毒です。さらに警察官もその後の事件処理に膨大な時間と労力を奪われることになります。食事をする時間はなくなり、帰宅時間も遅くなり、場合によってはその日は家に帰れないことにもなります。

事件は起こらないほうがいいのです。

110番通報を受けて現場に到着した警察官は、対象者がまだその場にいる場合は必要な注意を与え、通報者や対応した社員の方に被害がないことが確認できれば、一般的な防犯面の指導を行って終わりになります。このようにその場ですべて完結する対応を警察では「現場処理（げんじょうしょり）」と言います。これは管内で発生した事案に対して迅速に対処した結果、大きな問題に発展しなかったということを意味し、警察にとっても良いことなのです。

ちなみに、私が過去に実際に対応した110番通報の例を挙げておきますので参考にしてください。「この程度で110番してもいいんだ」と、いい意味でハードルが下がるでしょう。

- 会社の近くに酔っ払いが寝ていて困っています。追い払ってください
- 公園で若者が花火をやっていてうるさいです。静かにさせてください
- 歩道にヘビがいました。怖いです

【ベストな方法】

> 自分たちだけでは解決できないと思ったら
> 皆さんは遠慮なく110番通報で問題なし！

インシデント1-3 110番通報するとどうなるの？

◆110番の舞台裏

皆さんは、110番通報したことがありますか？

警察署で勤務していた私は110番通報を毎日受けていましたが、日常生活を送る中で自分が110番通報しなければならない現場に遭遇するというのは、人生でそう何度もあることではありません。しかし、いざというときに困らないように110番するとどうなるかを知っておくのは大事です。

110番に電話をかけるとどこにつながるのでしょうか。

近くの交番につながる？　近くの警察署につながる？　どちらも違います。実際には、各都道府県警察本部の中にある通信司令室というところにつながります。

「110番です。事件ですか？　事故ですか？」

110番に電話をかけると、まずこう聞かれます。何が起きたのかを伝えると、次に場所を聞かれます。場所を正しく伝えることができたら、もうあなたの役目は90％完了です。

「あれれ、そんなもんなの？」——と思うかもしれませんが、現場へ向かう警察官の立場からすると、

1. 何が起きたのか
2. 現場はどこなのか

この二つがわかればすぐに現場に向かうことができますし、サイレンを鳴らして緊急走行で向かうべきなのか、急を要しないので通常走行でいいのかも判断できます。

もちろん、現場の状況や犯人の特徴など、その時点でできる限り詳しく説明してもらえると事件解決に役立つのですが、まずは何が起きたのか、それがどこで起きたのかを迅速正確に伝えることがとても大切です。

◆住所を正しく伝えるだけで十分！

今はスマートフォンからの通報であれば警察側でおおむねの位置情報がわかるようになっていますが、さまざまな影響で場所がピンポイントに特定できないケースもよくあります。

そこで先ほどの知識が活きてきます。１１０番にかけるとどこにつながるんでしたっけ？　近くの交番や警察署ではなく、どこか遠くにある警察本部の建物でしたよね。つまり、地元の方であれば誰でも知っているような会社の名前や建物の名前でも、遠くの警察本部で勤務しているオペレータは知らない可能性が高いわけです。

もちろん、１１０番を受理するオペレータは管轄区域の地名や駅名、主要な建物等について勉強しますが、すべてを知っているわけではありません。ですから、最も理想的なのは事件が起きた場所の住所を伝えることです。

会社で起きた場合にはご自分の名刺を確認するのが早いです。また、１１０番した際はビルの警備員や防災センターにも連絡しておくと、警察官が到着した場合に誘導してもらえるなどその後の対応がスムーズになります。無事に警察官が到着したらあとは基本的にすべてお任せで大丈夫ですが、警察官から事件の状況を聞かれたりしますので、落ち着いて答えましょう。

【これが定番！】

１１０番は現場の住所を正しく伝えることが重要。

インシデント1-4 警察に届ける前にまず電話

◆24時間365日対応していますが……

皆さん、これまで警察に何か相談したことがありますか？　緊急のときは110番ということを頭ではわかっていても、そこまで緊急ではない困りごとを相談したことがある人は意外と少ないのではないでしょうか。

ご存じのとおり、警察は24時間365日開いています（開いていますという表現が適切かわかりませんが）。しかしいつでも専門の警察官が万全の体制でいるかというとそうではありません。たとえば夜間の宿直時間帯には、最小限の人員で交代しながら対応するため、皆さんが相談したいことに対応できる警察官が必ずいるとは限りません。余談ですが、なぜか事件は深夜や金曜日の夜に起こることが多く、「何で今なの!?　昼間ならいっぱい警察官がいるのに……」と思ったことも数えきれません。

ある晩のことです。宿直勤務中の20時頃、ある会社で反社会的勢力の対応を担当している方が来署され、反社会的勢力に関してどのようなことを注意したらよいか等の講演の開催を依頼されたことがありました。あいにく暴力団担当の専務員がおらず、後日電話でアポを取るように依頼してお帰りいただいたことがありました。

またあるときは、深夜1時ごろ逮捕事案の処理中、パソコンを手に来署された40代くらいの男性から、「●●という個人間で商品をやりとりするサイトで知り合った相手方から▲▲というSNSに誘導され、絶対に儲かるからと暗号資産の購入を持ち掛けられた。信用して暗号資産■■で100万円を購入したら、突然相手方と連絡が取れなくなった。ブロックチェーンはこの画面に表示されたものなのでこれを追跡してほしい……」との被害相談を受けたこともありました。パソコンの画面を見せられても対応が難しいこと、相手方とのやりとりや捜査に役立つ情報を印字して提出してほしいことを説明し、電話でアポを取ったうえで来署いただき後日対応しました。

なんだよ、いつ相談しても親身に対応してくれるのが警察じゃないか、事前に言ってくれれば準備したのに、だから警察に行きたくないんだよなぁ……と思われたかもしれません。

◆電話も道具も使いよう

当然ながら皆さんにも事情があるように、警察にも事情があります。先の事例では、暴力団対策に関する専門知識を持った捜査員がいつでもいるわけではないこと、さらに後者の事例では「●●や▲▲、■■って何?」とそもそもの前提をすべての警察官が理解できているわけではないこと、捜査を進めるには紙で資料を提出してほしいなど警察特有の事情があるのです。

「暴力団対策って有名でしょ? 警察官みんな知っていて当然じゃない?」「有名なサイトなのにそんなことも知らないの?」「画面を見せているんだから写真に撮って印字すればいいじゃないか」など不満に思うことはあるかもしれませんが、まずは事前に電話で、いつ、どこで、どんなトラブルに巻き込まれたのか、次に警察に何を求めるのか(相談に乗ってもらいたい、アドバイスしてもらいたい、犯人を捕まえてもらいたい、パトロールしてほしいなど)をしっかり伝えることで、スムーズに進むことを覚えておいてください。

【ベストな方法】 いきなり警察署に行く前に、警察署の代表電話にかけてみよう!

インシデント1-5

押さえておくべきはメモと証拠の2本立て

◆届け出に必要なものとは?

皆さん、警察に届け出るときに何を持っていきますか?

用意周到な方は、しっかり説明できるようにいろいろな資料をそろえて順序よく説明いただけるのですが、普段警察と接する機会のない方だと何が必要かよくわからないのではないでしょうか。次の二つをまとめておくと、あとあと便利です。

1.何が起きたのか、何をしてほしいのかを客観的に情報をまとめておく

六何の原則(5W1H)という言葉を聞いたことがある方も多いと思います。①いつ(When)、②どこで(Where)、③誰が(Who)、④何を(What)、⑤なぜ(Why)、⑥どのようにした(How)というものです。ここに、⑦誰と、⑧何をしたなどが入ると「八何の原則」などとも呼ばれます。これを曖昧(あいまい)にしたまま警察に届け出る事例が意外に多いのです。

警察官は、この訴え出が刑罰法令に触れる行為なのか、客観的に証明でき、かつ犯罪事実が作れるかなど「警察視点で」話を聞きます。

皆さんが一生懸命話している最中に、「それってどういうことですか?」「なんでそう思うんですか?」など話の腰を折るような質問を入れられる場合がありますが、それは決してめんどうくさかったりヤル気がなかったり、邪魔をしてやろうと思っているわけではありません。皆さんの話を聞きながら、どの部署が担当か、次にどんな

書類を用意してもらうべきかなど頭の中で組み立てているのです。

会社として警察に届け出る際、特に実際に被害に遭った方（たとえば営業担当）と、届け出る方（人事や労務）が異なる場合、「それはちょっと聞いてみないとわかりません……」などとならないよう、「もしあなたが相談される立場だったら……」という視点でさまざまな角度から情報を収集してください。そうすることで、

相談者の心の声：「せっかくアポを取ってわざわざ時間を作って訪問したのに、また来なきゃいけないのか」
警察官の心の声：「相談者が詳細な事実を把握していないので今日は何とも判断つかないな」

——など、お互いに残念な状況を避けることができるはずです。特に会社や業界特有の専門用語や略語は平易な文言で説明するといいでしょう。意外と皆知らないものです。

2. 渡せる資料、その場で目で見て確認できる資料を持参する

私が警察官のときに困ったのが「細かいことはわからないけど、●●に違いない、アイツがやったんだ」「いつなくなったのかわからなけど、絶対こうだ。間違いない」といった客観的な証拠がないにもかかわらず、相談者がなぜか自信満々で訴え出てくるときです。こうしたケースほど「警察は何もしてくれなかった、私の話を真剣に聞いてくれなかった」と後から苦情となる確率が少なくありません。

刑事手続きは極めてアナログです。原則的に警察官は紙で書類を作らなければなりません。なぜなら、この書類が検察官や弁護士、裁判官に渡っていくからです。昨今、刑事手続きのオンライン化について検討されていますが、これは令状を請求する際、物理的に裁判所まで紙の書類を持っていく手続きがオンライン化される、現地

まで行かなければ傍聴できなかった裁判をオンラインで見ることができるなど、物理的な移動を伴う作業がオンライン化されて便利になるというものであって、警察官が紙の書類を作ることがなくなるものではありません(今後対象となるかもしれませんが)。

つまるところ警察に届け出る際、警察官から質問されたことにすべて説明でき得る客観的な証拠を、できる限り紙で準備する必要があります。防犯カメラ映像の場合は、犯行をとらえた場面や犯人の顔が映っている部分を印刷して渡せるとベストです。たとえば電話のやりとりなど印刷できない場合は、CD-RやUSBメモリなどに記録して提出するといいでしょう。警察官が犯罪を立証するために必要な部分を書面にしてくれます。

当事者になると、どうしても一歩引いた立場で客観的に物事を見ることが難しいのですが、「もし自分が訴え出を受けたら……」といった視点で考えると、思った以上にスムーズに話が進むはずです。

【次の一手】 警察に届け出るときは2点に注意して資料をまとめる。

1. 何が起きたのか、何をしてほしいのかを客観的にまとめて伝える
2. 渡せる資料、その場で、目で見て確認できる資料を持参する

インシデント1-6 被害届を提出する!?

◆被害届は誰が作る?

皆さんはテレビのニュースで「○○さんは暴行を受けたとして警察に被害届を提出し、受理されました」というようなフレーズを聞いたことがありませんか? これは著名人が犯罪被害を受けたニュースなどによく使われる決まり文句です。

ところがニュースでよく言われるこのフレーズは、事実とはちょっと違うのです。

「え?」と思った方、被害届というものについて漠然と次のようなイメージを持っていませんか?

「犯罪の被害にあったら被害届という書類を作って警察署へ持って行き、警察官がその内容をチェックして、受理されれば被害者として認定され、捜査が開始される――」

実際は少し違います。

まず、被害届を作るのは被害者ではなく警察官です。

被害者から話を聞いた警察官が被害届を作成(代書)し、被害者が内容を確認して署名するという形になります。

◆被害届ですべてが解決するわけではありません

規則上は被害者自身が作成することも不可能ではないのですが、皆さん今までに被害届を作ったことはありますか? ありませんよね。

なので、実際は被害届の作成に慣れている警察官が皆さんの話を聞いて作成しています。

また被害届が作成されたからといって、届け出た人が被害者で相手が一方的に悪いと認定されるわけではありません。

たとえば知り合い同士でトラブルになったような場合に、自分が被害者で相手が１００％悪いという構図を作りたいがために早く被害届を提出したいと警察に言ってくるような人もいますが、仮に被害届を提出したとしても、警察は相手からも事情を聞き公平に捜査します。

当然、被害届を出したからと言って警察が味方に付くというわけでもありません。

それから、被害届がなければ絶対に捜査が開始されないというわけでもありません（たとえば、殺人事件には被害届がありません）。

皆さんの会社で被害があった時に、とにかく被害届を出すことにこだわっていませんか？

会社にとって本当に重要なのは、何が起こって何に困っているのかを警察官に話すこと（＝届け出ること）なのです。

子供の体調が悪くなると「早く病院に行って点滴を打ってもらいなさい」「なぜあその病院は点滴を打ってくれないの」と言う人がいます。これはとにかく点滴を打てば体調が良くなるとその人が妄信しているだけで、子供にとって本当に重要なのは、病院に行って事情を話したうえでお医者さんに適切な処置をしてもらうことなのです。点滴を打つ必要があるかどうかはお医者さんが判断します。

同様に会社で何か被害が起きた時に「とにかく被害届を出してこい」「なぜ被害届が受理されないんだ」というのは、被害届が受理されればそれだけで何かが解決すると妄信しているだけで、極めてナンセンスなのです。

では被害に遭ったらどうすればいいのでしょうか？

それを以降で説明します。

【考え方を変えよう】 必ずしも被害届にこだわる必要はない。

インシデント1-7

被害届と被害のお届けの違い

◆似て非なる届け出の意味

①警察に被害届を提出することと、②警察に被害を届け出ることの違いはご存じでしょうか？ 被害届は被害に遭ったことを警察に申告する書類であり、被害届を提出することとはその書面を警察に提出することです。被害を届け出ることは、文字どおり警察に●●で知らない人に殴られました、泥棒に入られましたなど被害があったことを警察官に届け出ることです。

私が民間企業に転職し強く感じたことの一つに、この二つの違いがあまり理解されていないことがあります。言葉はよく似ていますが、一方は書類を提出すること、もう一方は事実を伝えることであり、似て非なるものです。細かい話ですが、ID・パスワードを勝手に使用されて不正アクセスされた方は法律上被害者ではありません。その方は参考人という立場であり、被害届という書面を警察に提出できません。そんな法律の細かいことについて、届け出する方から見たらよくわかりません。また事案が複雑であればあるほど警察官から細かく質問され、「今回の話ではあなたは被害者にならないため被害届を出すことはできませんね」などと言われ、「嘘でしょ!? あーもう、早く被害届を提出させてよ、上司から被害届を出してこいって言われてきただけなのに。細かいことを聞かれてもわからないよ」となり、「出直してきます」となってしまうのです。

◆被害届を受理するとは？

警察としては届け出を聞きながらどういった犯罪が成り立つか、被害届を受理する場合にどういった項目が必要か順に聴取しているだけなのですが、届け出する方は「警察はあーだこーだ言い訳して何もやってくれない」

と不信感が芽生えてしまいます。

会社に戻った後、上司に「何時間も話をしたのに何もしてくれなかった、警察官からいろんなことを言われて被害届を受理してくれなかった、駄目だった」と一生懸命報告するのですが、上司から「で、何で被害届を受理してもらえないの?」と言われ、「いや、よくわからないんですけど警察官が受けてくれないんですよ……」といった不毛なやりとりを何度耳にしたかわかりません。

言葉にするとちょっとした違いですが、この違いを理解することで警察とのやりとりや社内でのコミュニケーションがスムーズにいくことは間違いありません。次の節で、被害のお届け（相談として記録に残してもらうこと）について説明します。

【考え方を変えよう】

被害届は、どんな被害に遭ったのかを申告するために提出する書類です。

インシデント1-8 被害のお届けとは

◆相談として記録に残してもらうには

次のような事件があったとします。

- 電話対応のスタッフが暴言を吐かれ、会社に火をつけると言われた。警察に届出済みであることを相手方に伝えたい、毅然とした対応を取りたい
- 損害を被ったケースで補償を受けたい、自作自演でないことを証明したい
- 今回の被害はそこまで大事（おおごと）ではないが、今後エスカレートした場合、継続的に被害が発生していることを示す客観的な証拠として警察に記録しておいてもらいたい

――このように警察に犯人を逮捕してもらうことまでは求めていないけど、記録として残してほしいと思ったことはありませんか？　この場合に有効なのが、「警察に被害を届け出て、**相談として記録に残してもらう**」という方法です。

仮に皆さんが、「被害額はたいしたことないがこれは立派な犯罪だから被害届を受理しろ！　犯人を捕まえるのが警察の仕事だろ！」と権利を声高に主張し続けても、解決（犯人検挙など）まで数ヵ月から1年以上かかることもザラです。

また、被害届を出せば終わりというわけではなく、実際に警察が捜査し犯人を検挙するには、長時間にわたる供述調書への対応や実況見分の立ち会いなど、皆さんにも想像以上に時間と手間がかかるのです。

結果的に犯人が逮捕されても被害が回復されない場合もありますし、さまざまなデータや防犯カメラ映像の保存期間が過ぎていたため証拠が集まらず、犯人が特定できない可能性も十分に考えられます。

◆どのようにアピールすると効果的か

「まずは話を聞いてほしい。記録として残してもらいたい」という相談であれば、受理する警察官の心理的負担が軽くなり、結果的に良いアドバイスがもらえ、早急に捜査をするので資料提出や調書対応など協力してほしいなど前向きな意見をもらえて結果的に事件化されることもありますし、事前に相談して記録に残すことで、万が一に事案がエスカレートして110番するような事態になった場合、多くの警察官が瞬時に事案概要を把握できるため、込み入った事情を一から説明することなく速やかに対応してもらえるなどのメリットがあります。

また、被害とまでは言えないものの、他社でも同じようなことが起こっていないかアドバイスを求めたい場合にも警察に相談することは有効です。皆さんの思っている以上に警察には多種多様な相談が寄せられデータベース化されており、さまざまなノウハウが蓄積されています。もしかしたら皆さんが困っている事案とよく似た事例を過去に取り扱ったことがあるかもしれませんし、我々が思いもつかないアドバイスがなされる場合があります。

また、警察に相談すればそれは「警察に届け出た」ことにもなります。

電話で相談しても、アポを取って警察署に出向いて相談しても、いずれの方法でも結構です。

警察を頼るのは被害に遭ったときだけじゃないということを覚えておいてください。

【考え方を変えよう】

いろんな困りごとにも警察は頼りになる。

インシデント1-9 供述調書とは

◆供述調書の目的

刑事さんが事件の捜査について皆さんから話を聞いて、「この証言は重要だから証拠として書類にしておこう」と思った時に作成するのが供述調書です。

被疑者の供述を調書にする場合が供述調書（甲）、被害者や目撃者、参考人等の供述を調書にする場合は供述調書（乙）というものが作成されます。

よく刑事ドラマで目撃者が刑事さんにいろいろ質問されるシーンがありますが、逮捕状を請求したり犯人を起訴したりするために、その証言を証拠として使用するためには、供述調書という形で書面にする必要があるのです。

刑事さんに「供述調書を作成したいので協力してください」と言われた場合、基本的にはその調書がないと犯罪の立証が難しいということになります。完全に任意での協力という形になりますが、社会貢献と考えできる限り協力していただけたらと思います。

しかし、一つ注意点があります。供述調書の作成にはものすごく時間がかかるのです。一つの調書を作るのに2時間以上かかることも珍しくありません。場合によっては半日、複雑な事件のときは丸1日以上かかることもあります。

実際の流れとしては、刑事さんが事細かに話を聞きながら目の前でパチパチとパソコンに文章を入力し、できあがった調書を紙に印刷して供述者が署名をするというものなのですが、問題はその内容です。まずはあなたの経歴から始まり、なぜ今日刑事さんの前でお話することになったのか、いつどこで何を見たのか、調書に記載されるひとつひとつの事柄に関し、なぜそう言い切れるのか、思い込みや思い違いはないかなど、これでもかというくらい細かく確認されることになります。

供述調書は非常に重要な公文書ですし、最後に署名するので間違いや勘違いがあってはいけません。細かく確認するのは当然と言えば当然なのですが、一般的な感覚からすると「うんざりするほど細かい」というのが供述調書です。

刑事ドラマで供述調書を作成するシーンがまったく出てこないのは、その作成過程があまりにもおもしろくないからです。刑事さんの能力にもよりますが、供述者は一つ二つ質問に答えたあと、刑事さんが黙々とパソコンに文章を入力している様子を黙って見ているしかありません（さすがに最近は見かけませんが、パソコンがあまり得意でない刑事さんは一本指打法で入力したりしますので、さらに時間がかかるのは想像に難くないと思います……）。

刑事さんは供述調書を作成すること自体が仕事ですので、半日かかろうが1日かかろうが構わないのですが、それに付き合わされる方はたまったものではありません。

とは言え、時間がかかるのが嫌だから調書の対応はお断りしますというのも、それによって犯人が捕まらずさらなる犯行が繰り返されると思うと、あまり気持ちのいいものではありません。

◆調書を作るときの心構え

そこで私がお勧めするのは、「調書には協力しますが、1時間以内で終わるようにしてください」とあらかじめ刑事さんに伝えてしまう方法です。

そうすることにより、刑事さんは事前にあなたから聞き取った話をもとにあらかた調書を作成し（これを下打ちと言います）、当日は微調整だけで仕上げられるように準備をしてきてくれます。

会社に関する説明が必要な場合など、ある程度複雑な調書になる場合は、事前にメールや電話で調書に記載可能な内容をやりとりした上で当日は紙に署名するだけ、ということもできます。また、調書の作成に応じる際に必ずしもあなたが警察署へ出向く必要はありません。会社に来てもらったり、近くの交番で作成してもらったり、場合によっては刑事さんの車の中で調書を作ってもらうこともできます。

なお、会社でそれなりの立場にある方が供述調書の趣旨を理解したうえで捜査に協力するというのは可能だとしても、たまたま事件の参考人となってしまったイチ社員にこの役目を負わせるのは忍びない、という場合もあると思います。

その社員さんが「へー！　刑事さんに供述調書とってもらえるんですか！　なんかおもしろーい」という感じの方であれば問題ないのですが、「なぜ私がそんなことまでやらなければいけないんですか？」「犯人に逆恨みされたらどうしてくれるんですか？」「私が署名した調書が一人歩きしたらどうするんですか？」という感覚の方もいらっしゃるはずです。実際には調書が一人で歩いていくことはないのですが、このような心情も十分に理解できますし、会社として社員に配慮することも大切ですので、最終的には供述調書への協力は任意です、というところで判断することになります。

【ベストな方法】

調書は短時間で終わるようにあらかじめ刑事さんにお願いしておく。

インシデント1-10 私、ストーカー被害にあっているんです

◆現代に多い犯罪スタイル

ストーカー被害は、対処が難しい犯罪の一つです。その多くは一方的な恋愛感情による過剰なアプローチで、待ち伏せしたり自宅や勤務先に押しかけたりするなどの行為のほか、SNS等で執拗にメッセージを送ってくるケースも少なくありません。

ストーカーは男性から女性に対する行為というイメージがあるかもしれませんが、女性から男性に対する行為や、同性による行為もストーカーに該当します。行為者は仕事に関係ない人の場合もあれば、社内の人や取引先の人の場合もあるでしょう。

対処が難しいというのは、待ち伏せやメッセージの送信等の行為の一つだけで、すぐに警察が検挙できるわけではないという点です。

◆証拠を集めておく

ストーカー行為を警察に相談する場合は、その行為が繰り返し行われたことを証明する証拠があると理想的です。

SNS等であればメッセージを削除することなくスクリーンショットを撮って保存しておきましょう。待ち伏せや面会の強要等の行為は、その日時や経緯をメモとして記録しておくことが大切です。

それらの証拠を持って最寄りの警察署に相談すれば、状況に応じて担当の警察官が相手に注意してくれたり、防犯上のアドバイスをしてくれたりします。また、犯行の態様がひどい場合はストーカー行為規制法に基づく手

続きを行うことになります。

これは、警察署長や公安委員会の権限で、行為者に対して正式な警告や禁止命令を行うものです。それでも従わなかった場合、行為者は逮捕される場合もあります。なお、すでに自宅を知られていて身の危険があるような場合は、自治体と協力してシェルターと呼ばれる避難先の居住施設を紹介してくれることもあります。

被害者の方の感覚にもよりますが、「警察に届け出るほどでもないけど、でもなんだか不安です」ということもあると思います。

このような場合に会社としてできることとしては、次のようなことが考えられます。

- 行為者が通勤途中に接触してくるようであればリモート勤務を検討
- 行為者が社内にいるようであれば上司や人事担当者から口頭または文書による注意警告、勤務場所変更や配置換えの検討
- 行為者が取引先等の場合は文書による事実調査を依頼

ストーカー行為は時間経過とともになんとなく収まるケースもある一方で、思い詰めた行為者が自暴自棄になっていきなり刃物で切り付けたりすることもある危険な犯罪です。

警察に相談していたのに対処がされず、結果的に相談者が殺されてしまったという事件が過去に何度かあり、そのたびに法律が改正されたり警察の対応が強化されたりしてきました。社員からストーカー被害の相談を受けた場合は速やかに警察へ相談するよう促しつつ、会社としてもできることはきちんとやっていきましょう。

【これが定番！】

ストーカー被害は行為を記録して警察に相談。
そこまでなければ会社としてできることを検討。

インシデント 1-11 お客様相談室がカスハラで困っています

◆「お客様は神様です」

これは、今は亡き演歌歌手の三波春夫さんの有名な言葉です。皆さんの会社において、この言葉が相手からのどんな理不尽な要求にも応えなければならないという呪いの言葉になっていませんか？

ユーザーに対する数々の神対応エピソードで有名なあの任天堂も、2022年10月には各種規定の中にカスタマーハラスメントの項目を明記したことで大きな話題になりました。

子供が小さいころからずっと大切にしていた思い出いっぱいのゲーム機が壊れてしまって、任天堂に修理をお願いしたらまったく同じモデルの新品が暖かいメッセージとともに無償で送られてきて、古いゲーム機に貼ってあったキャラクターシールまでていねいに移植されていた……。この話だけを聞いたらとても美しいお話なのですが、その裏には「じゃぁオレのゲーム機も落として傷がついたから無料で新品に交換しろよ」「40年前に買ったファミコンのカセットが起動しなくなったから無償で新品と交換しろ。箱と説明書も新品な。そのほうが高く売れるし」「なぜオレの要求を聞けないんだ。子供はＯＫで大人はダメなのか？　それは差別だろ！　ネットで晒すぞ！　訴えるぞ！」といった理不尽な要求も相当数あったことが容易に想像できます。また、それをお客様対応という枠組みの中で必死に対応されてきた社員の方々の苦労も想像を絶するものがあります。

◆警察への相談は抑止力になる

今の時代は「カスハラには毅然として対処するという企業の姿勢を表明し実践する」ことこそが、社員を守り、会社を守り、その結果上質なサービスをお客様に提供し続けることができるのである、という考えに社会全体がシフトしてきています。

カスハラがエスカレートして行き着く先は脅迫、強要、業務妨害等の犯罪行為なのですから、この流れは当然です。

会社としては、クレームが度を超えた不当な要求と判断した場合は警察と連携することも視野に入れて対応しましょう。この時、相手の行為が犯罪に該当するかどうかを皆さんが判断する必要はありません。困っていて、自分たちだけでは解決困難だと感じた、これだけで十分です。また、この段階に来たら相手はもう「お客様」としての対応から切り離して考えてください。

相手に対して、この件は警察に相談しています（します）と伝えることは一定の抑止力になりますし、これだけで相手がトーンダウンすることも多いです。

警察への相談は電話でもできますし、電話をしただけであっても警察に届け出たことには違いありませんので、堂々と相手に「警察にも届け出ました」と伝えましょう。

警察がそれに対してどのようなアクションを取るのか、もしかしたら様子を見るだけなのかを相手は確かめることができませんし、それを考えさせるだけでも十分な牽制になります。

エスカレートしたカスハラは犯罪であるという認識のもと、警察との連携も視野に入れて組織で対応しましょう。

【考え方を変えよう】 お客様は神様です。ただし真っ当なお客様に限る。

インシデント1-12 車がぶつかって建物に傷が……

◆事故を見たらすぐ行動

会社の建物や備品に車がぶつかったのを目撃した場合は、「その場ですぐに110番」というのが最も理想的な対応ではあるのですが、現実的には次のような報告があなたのところに来ることがあります。

- 外壁に車がぶつかった傷があることに今日気づきました。昨日はなかったような気がしますが覚えていません……
- ぶつかったところを見ていたのですが、運転手が急いでいると言って電話番号だけ残して走り去ってしまいました……
- ぶつかったところを見ていたのですが、車はそのまま走り去ってしまいました。あ、これ昨日の話です……

車が接触した傷を発見した場合は、その付近を写している防犯カメラがあるか確認してください。自社が管理する防犯カメラに事故の瞬間が映っていた場合は、その証拠をできるだけ鮮明な状態で紙に印刷して警察署へ相談に行きましょう。ナンバープレートが判別可能な状態であれば、いわゆる当て逃げ事件として捜査してもらえる場合があります。

◆ナンバーがわかれば望みあり

防犯カメラはあるけど自社の管理ではないという場合は、警察に相談すれば防犯カメラの管理者に掛け合って映像を入手してもらえる場合があります。

ところでナンバープレートが判別できない場合の捜査は非常に困難です。もちろん車種や色で、ある程度対象車両を絞り込むことができる場合もありますが、それが何千台、何万台となってしまうと、その一台一台をしらみ潰しに調べていくのは現実的ではありません。

テレビドラマでは、まったく読めないナンバープレートが劇中のシステムによって驚くほど鮮明化されたり、現場に残されたウィンカーの破片や塗膜片から被疑車両を一発で割り出したりすることがよく表現されていますが、現実はそれほど簡単ではありません。

ひき逃げ死亡事故のような重大事件であれば、それなりの人数と時間を割いてテレビドラマのような展開になることもありますが、物が少し壊れたくらいではそこに大量のリソースを割くことはできないというのが警察の実情です。

したがって、逃げた車両のナンバーがわかれば望みあり、わからなければ望みは限りなく薄いと思ってもらって間違いありません。事故を起こした運転手が「急いでいるから」と言って連絡先だけを残して走り去ってしまったという報告を受けた場合は、前のケースと同様に防犯カメラの有無を確認してから最寄りの警察署に電話をしましょう。警察官が現場を確認したうえで、連絡先に電話をするなどして交通事故として扱ってくれます。本来的にはその場で運転手を引き止めて110番した方がいいのですが、相手がコワモテだったりするとなかなかそうもいかない場合もあります。もし余裕があれば、車両が走り去る前にナンバーを撮影しておくといいでしょう。

ぶつかった車がそのまま走り去ってしまった場合も同様です。防犯カメラがない、ナンバーもわからない、目撃証言もあいまいということになると、残念ながら捜査のしようがありません。

【次の一手】 車が逃げてしまった場合はナンバーがわかるかどうかが分かれ目。

インシデント1-13 警察にパトロール強化を依頼する

◆パトロール強化の仕組み

会社や自宅に不審者がたびたび現れるような時には、警察にパトロールの強化を依頼することができます。交番には管轄地域内の不審者事案やパトロール依頼等に関する引き継ぎ簿があり、交番勤務の警察官は、勤務を開始する前にそれに目を通すことになっています。

どこの場所でどういう事案があり、訴出人の誰々さんからパトロール強化の依頼がありましたというようなことが記載されています（ちなみに交番というのは「交代で番をする」という意味）。しかし、ここで注意してほしいのは、警察はあなた専属の警備員ではないということです。パトロールを強化すると言っても、他の場所で110番が入ればそちらに向かうことになりますし、被疑者を逮捕すればそのまま警察署に連行して事件処理に何時間も費やすことになり、パトロールに出る時間はなくなります。

実際にパトロールできたとしても、たまたまその時に不審者と出くわすという確率はそれほど高くはありません。また、パトロール強化の依頼は次から次へと来ますが、「もう大丈夫なのでパトロールしなくていいです」という連絡はまず来ません。つまり、パトロール強化の依頼だけがどんどん溜まっていくことになり、必然的に古い事案は優先度が低くなり、あらためて依頼がない場合、静かにフェードアウトしていくことになります。

◆パトロール強化の効果とは

会社として警察に対しパトロール強化の依頼をすることは、幹部への報告や社員への安心感を提供するという面で意味がありますが、それだけでパトロールがガッチリ強化されて不審者が寄り付かなくなるということはありません。会社に常駐の警備員がいるのであればそちらへも連絡しておき、何かあればすぐに110番通報してもらう体制を整えることが大切です。

なお、警備員は警察官ではありませんので、警備員が不審者に職務質問したり、いざという時に体を張って犯人と対峙したりすることはありませんので、こちらも過度な期待は禁物です。

【考え方を変えよう】

パトロール強化の依頼はできる。
でも過度な期待をしてはいけない。

インシデント1-14 刑事と民事

◆弁済されない被害金

皆さん、インターネットやテレビで、「▲▲県警捜査第二課に逮捕された●●容疑者は特殊詐欺の指示役であり、被害金額は5億円にのぼると見られています」といった犯人の逮捕に関するニュースを見たことがありますか？ うんうん、あるよと思った方、ではその犯人がどのような判決を受けたか、被害者にいくら弁済したというニュースを見たことがありますか？

今まで警察官として刑事手続きを行ってきた私にとって、警察は犯人を逮捕して検察官に送致することが仕事であって、どの程度被害金が弁済されたかなど深く考えたことがありませんでした。もちろん事件を検察官に送致したら終わりというものではなく、被害者のケアはもちろん、送致した後の取調べや補充捜査を行うことがあります。しかし、勾留が終わり、犯人が釈放されたり東京拘置所に移管されたりすると、新たな事件捜査に着手しなければなりません。次から次へとにかく忙しかった記憶しかありません。あれよあれよと事件が舞い込んできて、いつの間にか茶箱（私がいた頃は一つの事件書類を一つの茶色い箱に入れて管理していました）が山積みになっていた、今自分はどの事件で何をしなければいけないんだっけ、どこまで何をやったんだっけ？ ということもよくありました。

◆警察の仕事の本質とは

私が民間人として警察に被害を届け出る立場になってみると、素朴な疑問がわいてきました。「警察に届け出たのはいいけどその後ってどうなるんだっけ？」「被害金って弁償されるんだっけ？」など、今まで考えたことがありませんでした。警察や検察の仕事は、あくまで「犯人が日本の法律に違反しているか否かについて捜査すること」であって、まったく関係ないとは言いませんが、被害回復は別物、警察や検察の仕事ではないと言っても過言ではありません。

次の節で詳しく記載しますが、刑事事件として犯人に刑罰を与えることと、民事事件として被害金を取り戻すことはまったく別ものだということを思い知らされました。

【これが定番！】

刑事と民事はまったくの別物、それぞれ対処する必要あり。

インシデント1-15 被害弁済の落とし穴

◆被害弁済と刑事手続き

会社に損害を与えられた事案について警察に届け出ることが増えてくると、警察から「犯人を逮捕した」と連絡を受けることも当たり前ですが増えます。そうすると、時々犯人の弁護人から、「犯人は反省していて謝罪したい、被害弁済したいと言っているのですが受けてもらえますか」という連絡を受けることがあります。通常犯人は弁済する金を持っていません（もちろん例外はありますが、金を持っていないから盗むんですね）。弁済費用の原資は、親や兄弟、会社の社長、身元保証人など千差万別です。

弁護士の申し出に対し、会社の意向は「被害弁済などいっさい受けない、厳罰に処してほしい」という回答がほとんどです。その旨を弁護士に伝えると、「やっぱりそうですよね、わかりました」とあっさり引き下がります。そうして粛々と刑事手続きが進んでいくのです。

◆弁済の矛盾

そんなある日、数万円の被害を警察に届け出た結果、犯人が逮捕されました。その後弁護士から被害弁済の申し出があったのですが、当然のごとく断ったにもかかわらず、犯人が不起訴になった事案がありました。

いやいやいや、ちょっと待ってください。被害は数万円だったとは言え、この案件を警察に届け出るまでに掛かった人的コストや警察署に資料を持参する際に掛かった費用など、小さいことかもしれませんがそれなりの金額になることは間違いありません。しかし、いくら私たち被害者が厳罰に処してほしいと願っても、その願いが叶わず不起訴になってしまうんです。

その理由は、犯人は初犯で、被害と言っても数万円、反省していて自供もしている、身元引受人がしっかりしている、被害弁済を申し出ている（我々は決して許していないし弁済も受けていないのですが）などの条件がそろうと、起訴すらされない可能性があるのです。こんなバカなことってありますか？

それでは、仮に被害弁済を受けたら、皆さんどうなると思いますか？　刑事と民事は別物なのに、被害弁済を受けたら刑事手続きにおいては犯人に極めて有利に働くのです。そんなバカな！　損害を与えたら弁償するのが当たり前、それとこれとは話が別と思っていたのですが、ある弁護士に被害弁済を受けたらどうなるのか聞いた際、「それでは被害届を取り下げていただけないでしょうか？」と意味不明、理解に苦しむことを言われました。

盗んだものを返すのは当たり前、刑事と民事はまったく別物と私は信じて疑いませんでしたが、現実は「弁済した＝反省している、反省しているんだから寛大に処分してくださいよ」となるのです。

◆供託金は他人のためならず？

非常にモヤモヤしていたのですが、あるときこんな事例を取り扱いました。ある弁護士から連絡を受けた我々はいつものように被害弁済を断ったところ、担当検事から「犯人が供託金を法務局に預けた」と連絡を受けたのです。供託とは、被害者に弁済の申し出を拒絶された犯人が、反省の意思を見せて裁判を有利に進めるために法務局に弁済金を預ける制度です。

当初、「そんなことできるんかい！」と驚いたと同時に、「いや待てよ……次から弁護士が被害弁済を行いたいと連絡してきたらうまく使えるのでは？ 我々は決して許さない立場を一貫して主張できるし、受け取ろうが受け取らまいが、どうせ裁判で犯人に有利に働くなら少しでも金を取り返したい」と思うようになりました。

弁護士事務所のホームページには、「供託で不起訴を獲得できるかも？」「供託は被告人に有利」などいろいろと「犯罪者のためになる」アドバイスがなされています（まぁ当たり前ですが）。

我々被害者が厳罰に処してほしいと願い、弁済金を一銭も受け取っていないにかかわらず、納得できない理由で不起訴になってしまう時代です。少しでも金を取り返せる可能性があるのであれば供託制度を有利に使ってみてもいいのではないでしょうか。

熊本日日新聞の記事[注1]を読み、いろいろと考えさせられるものがありましたので参考まで。

【これが定番！】 供託制度の使い方はあなたしだい。

注1 検察官裁量で見送り7割 増える不起訴、埋もれる真相 ［くまもと発・司法の現在地／不起訴の陰影①－1］ (https://kumanichi.com/articles/679753)

第2章

反社がいきなりやってきた編

インシデント 2-1 そもそも反社ってなに？

◆反社会的勢力との接触

皆さん、反社と聞くとパッと思い浮かぶイメージはどのようなものでしょうか？　暴力団やなんとなく怖い人……でしょうか。政府の指針では**「暴力、威力と詐欺的手法を駆使して経済的利益を追求する集団又は個人」**と定義されています。なるほどそうなのかと思いつつ、では具体的には何なの？――とモヤモヤしているのは私だけではないはずです。それもそのはず、普通に生活していたら彼らとほとんど接触することがないからです。

2007年6月、政府が**「企業が反社会的勢力による被害を防止するための指針について」**[注1]を打ち出しました。反社会的勢力との関係を遮断するよう私たち企業に強く求めるものとなっています。

◆わかりにくいその実態

紫色のダブルのスーツにサングラス、クロコダイル柄のセカンドバッグを持った一見してその筋と想像できる人が会社を訪ねてきたとなると、対応する側も「これは気を引き締めて対応せねば」と否が応でもなるところ。今の時代そんなわかりやすい恰好で歩いている人はまず見かけません。指針が示されてから15年以上が経った現在、反社会的勢力はあの手この手を使い、ますます巧妙に企業と接触を図ってきます。まっとうな企業の誠実な担当者が実は裏では反社会的勢力だった、まさかあの会

社（人）に限ってそんなことが……ということも十分にあり得るのです。

昨今コンプライアンス強化が声高に叫ばれ、たとえ小さなミスであったとしても、反社会的勢力とのつながりが疑われただけでこれでもかというぐらい叩かれる時代です。

本章では、反社会的勢力が私たち企業に接近してきた場合にどのように対処すればよいか、代表的な事例について紹介します。

【考え方を変えよう】 イマドキの反社は見抜けない。

インシデント 2-2　某民間企業の反社チェックの精度

◆反社チェックの方法とは

反社と聞くとなんとなく暴力団とか怖い人……などなんとなくイメージはできるものの、私たちのような民間人はどのように「反社」と判断したらよいのでしょうか。

たとえばインターネットで「反社チェック」というキーワードで検索してみてください。検索上位に何が表示されましたか？――そうです、反社チェックを行う民間企業が、かなりの多数表示されます。

ある反社チェックをする企業の営業担当者に「他の企業と比べて何が優れているのか」について聞いてみまし

た。そこで出てきたのは、

- 弊社独自のルートで収集した充実したデータベース
- 何十年前のデータも検索可能
- さまざまなソースからクロス分析した高い精度

など、とても魅力的なワードばかりを挙げてきましたが、どのように情報収集したのか聞いてもそれは企業秘密で教えられない（なぜか自信満々）の一点張りです。もし私たちがその反社チェック企業と契約し、そのデータベースで反社フラグがたった取引先の会社や人物を排除し、万が一揉めたり裁判になったりした場合、その裏付けとして社名を出していいか聞いてみると、「それは絶対にダメ」とのこと。はい？　そんなアホな……。

◆困ったときは警察に頼るべし

断言します。警察の情報管理は極めて厳格で、たとえ総理大臣から「AさんやB社のことを教えて」と言われても何の根拠もなしに警察情報を開示することはありません。つまり、民間企業が独自のルートで集めた情報というのは、警察がその会社だけにこっそり教えた情報ではありません。もちろん新聞やインターネット、官報に掲載された情報をクローリングして収集することはできます。しかしそれはごく一部の情報でしかありません。もしかしたら、誤った情報をもとに反社とは本来何ら関係のない会社との取引を断ってしまうことにもなりかねず、そうなった場合の機会損失も重大です。

皆さんが、何らかの理由で警察に相談していたのでは間に合わない、どうしても反社チェックを行う事業者に相談したいという場合、決して契約を止めるものではありませんが、わざわざ高いお金を払って、その情報の根拠も教えてもらえないところと契約する必要はありません。

困ったときは、皆さんの会社を管轄する警察署の暴力団担当部署や県警本部、暴力追放運動推進センターがあります。頼りになる専門家が近くにいるんですから、絶対にそちらを頼るべきです。

【これが定番！】

> なんとなくわからないことやモヤモヤしているものに大金を払うことはやめましょう。もったいないです。

インシデント 2-3 ヤクザが来ても対応しない

◆一切対応しないのがベスト

パンチパーマにダブルのスーツ、金のネックレスに刺青、よく見たら小指が……という昔ながらのヤクザは最近見かけなくなりましたが、なんとなくガラの悪そうな輩（やから）がいきなり会社に現れた場合はどう対応すればいいのでしょうか。

まず皆さんに理解してもらいたいのは、「一切対応しない」という選択肢があるということです。

そもそもこちらが呼んだわけでもなく、しかも見るからに厄介そうな人がアポもなしにいきなりオフィスに現れ、何か要求しようとしている、そんな状況において会社側が人と時間を割いて対応しなければならない理由は何一つありません。

インターホンのような形で直接対応しなくて済むのであればインターホン越しで要件を聞き、会社側がその場で対応すべき合理的な理由がないのであれば（まずないと思いますが）対応する必要はありません。

この際、応対する社員の方が「会社のルールで決まっていますので、対応することはできません」と自信を持って断れるように、事前にルールを決めておくことが大切です。ひとくちにルールと言っても、会社で正式に承認された規則から単なる社内の約束事、決まり事までいろいろありますが、何もその根拠まで相手に伝える必要はありません。要は何でもいいんです。

目的は、対応を断る社員の方が自分で責任を負わなくていいようにしてあげることです。

「会社のルールなので仕方ないんです。私にはどうしようもありません」という形で堂々と塩対応ができるようにしておくことが大事です。

対応しない旨を伝えてもしつこくインターホンを鳴らしてきて、その場から立ち去らないようであれば、これまた会社のルールにより１１０番することになりますと伝え、それでも居座るようであれば実際に１１０番しましょう。

「警察を呼んだりしたらもっと逆恨みされたりしないの？」と思うかもしれませんが、まったくそんなことはありません。

◆動じずに毅然とした対応をとりましょう

悪い人が一番恐れるのは警察に捕まることです。インターホンを鳴らしただけで逮捕されることはありませんが、会社に対し何か因縁を付けようとして、そのはじめから１１０番されて警察に事情を聞かれて身分確認をされて、というのは悪人にとってこの上なく分が悪いことなのです。

インターホン越しの対応ではなく、最初から受付カウンターで対面対応しなければならないような会社の場合は、厄介な人が来たらすぐに警備員や男性社員が複数で対応できるようにしておくことが大切です。

「おたくの会社のせいでこっちは損害を受けたんだ！　誠意を見せろ！」
「わざわざ来てやったのに応接室にも通さないのか！」
「対応に納得がいかない。責任者を出せ！　社長を出せ！」

どんなことを言われたとしても、まったく動じる必要はありません。相手に伝えることは先ほどの例と同じです。

仮に「もしかしたら我々にも非があるかもしれない」というような事情があったとしても、アポなしでいきなり文句を言いに来るような人は絶対にまともな人ではありません。まともでない人に対してまともに対応しようとしてはいけません。

なお、何らかの事情があって対面で対応しなければいけない場合の対処方法はこちら[注2]が参考になります。

【ベストな方法】

会社のルールで決まっています。
対応できません→立ち去らなければ110番。

インシデント2-4 株主総会に変な人が来たらどうしよう

◆株主総会のやり方

私のような元警察官が民間企業に転職した場合、お役に立てる機会の一つが株主総会です。昔は総会屋が暴れて何時間も審議が進まなかったり、はたまた複数で入り込んで言葉巧みに場を仕切られたりした話を先輩から聞きましたが、最近はあまり聞かなくなりました。しかし時代に応じて変わっていくもので、コロナ禍を経た今「フルリモートのバーチャル株主総会」など物理的に株主と顔を合わさない株主総会[注3]も実施されるようになりました。

とは言えまだまだ物理的に株主総会を開く企業も多く、その場合、現場で不法行為が行われた場合に速やかに対応すべく、あらかじめ本社を管轄する（および株主総会の会場を管轄する）警察署に警備の依頼を行うのがよいでしょう。その際に次の項目を伝えます。

- 株主総会の日時や場所
- 昨年の状況や今年の予想される来場者人数（株主数）
- 自社の警備体制や計画
- 災害発生時の避難場所や避難方法
- 刑事さんの待機場所

そうすると、場合によってはその会場は出入口が狭いので緊急事態に備え予備のルートを用意したほうが良いなど管内をよく知る警察官だからこそのアドバイスを受けられます。そうすることで本番当日スムーズに対応することができます。直前に依頼すると、他社と被っているなど刑事さんの予定が埋まっていることもあるため、目安として1ヵ月程度前にはアポを取ることをお勧めします。

◆餅は餅屋、総会屋には警察

現役のときに何度か株主総会警備に参加しましたが、これといった大きな揉め事はありませんでした。「わざわざ企業の方も警察に警備を依頼することないんじゃないの？　我々の対応にかかる時間や手間を他のことに回してもいいんじゃない？」と思っていたくらいです。しかし逆に依頼する立場となった今、刑事さんが現場に来てもらえるだけで非常に安心しますし、私たちも自信を持って警備にあたることができると実感しています（その筋の方なんじゃないかと見紛える強面の組織犯罪対策専門の刑事さんが来てくれる場合が多いです）。

「何かあったら110番、110番したら警察が来るのは当たり前。高いお金を払って警備会社にお願いしているんだから、わざわざ時間を割いて警察に警備をお願いしにいく必要なんかない」という話を耳にしたことがありますが、この「事前に警察署を訪問して挨拶する」というひと手間を掛けるメリットは絶大です。警察と仲良くなるというと語弊がありますが、餅は餅屋、警察に頼るべきときにしっかり頼ることも重要です。無料で対応してくれるのですから、これほど心強いことはありません。

Best【ベストな方法】

株主総会を開催する前に警察に警備を依頼しておく。

コラム

「刑事でも民事でもない解決方法」

仮に犯人が逮捕、起訴されたとしても、想像以上に罪が軽く（ほとんどの場合に執行猶予が付く）、いつの間にか不起訴になっていたというケースが意外に多いことを皆さんご存じでしょうか？

ニュースでは、「この犯行グループは●億円の事件に関与している可能性がある」など耳目を集めるために大きく報道されるものの、警察／検察が証拠を固めて立証できた案件はたった数万円だったということも現実にあります。場合によっては、「こいつらがやったのはわかっているのだけど証拠がない」などの理由で起訴すらされないこともあるのです（こうした内容はなぜかほとんど報道されません）。

また外国籍の犯人の場合、刑事手続きが終わったあと母国に帰ってしまったため連絡がつかなくなってしまい、刑事担当の弁護士もすでに弁護活動を終了しており、民事事件として進めることができないといったケースも数多く経験しました。

そこでお勧めなのが「刑事でも民事でもない解決方法」です。被害が発生していることは間違いないものの、いまだ警察に届け出ていない、警察に相談したけど捜査は難しい、弁護士に相談してもこれといった進展がない場合に、直接に相手と話をして解決する方法です。

電話や手紙と異なり、直接相手と話をすることは非常に有効な手段です。これまでいろいろな事案を取り扱ってきた私たちから見ると、相手の辻褄の合わない話や言いわけなど手に取るようにわかります。私たち自身の要望を明確に伝え、真摯に対応することによって「刑事でも民事でもない方法」で解決を図ることに何度も成功しています。

ハードルが高いかもしれませんが、直接相手と話し合うという第三の解決方法が存在するということを覚えておいてください。

インシデント2-5

右翼の街宣車が来たら110番

大音量で軍歌のような曲を流しながら走行する右翼の街宣車。皆さんも一度は目にしたことがあると思います。彼らは彼らなりの思想や理論に基づいてさまざまな抗議活動を行っていますが、その矛先が民間企業に向くこともあります。

街宣車が会社の前にやってきて大音量で抗議街宣を始めた場合は、110番通報してください。街宣をすぐにやめさせたいからといって、社員や警備員のほうが車両に近づいたりするのはやめましょう。さらなるトラブルに発展する可能性がありますし、その揉めている状況と会社の対応に対する抗議を大音量で実況されるだけです。下手すると動画を撮られ、インターネットに晒されて揚げ足を取られることになる可能性もありますので、警察の方にお任せしましょう。

◆なぜすぐに取り締まれないのか

一般的に考えて、街宣車による大音量での街宣は非常に迷惑ですし、警察に通報すればすぐにその場で捕まえてくれると思われがちなのですが、残念ながら現実はそうではありません。理由はいろいろありますが、まず日本国憲法で保証されている言論の自由によって、人は誰でも自分の主張を口にできるのです。

街宣車でめちゃくちゃなことを言われて非常に迷惑だし、名誉毀損にあたるのではないか、侮辱罪にあたるのではないかと言いたい気持ちもわかりますが、実はこれらの罪はそんなに簡単に成立するものではないのです。

仮にこれらの罪が簡単に成立し、現場の警察官の判断でバンバン逮捕できるということになると、たとえば政府にとって都合の悪いことを言った人、警察にとって都合の悪いことを言った人を問答無用で逮捕できることになってしまいます。このような制度の国は独裁国家として悲惨な末路を迎えるのは目に見えています。

◆現場の対応は警察に任せよう

そうした事情があるので、たとえ事実とは異なる主張を延々と街宣されたとしても、現場の警察官がその内容が妥当であるかどうかをその場で判断して検挙するということはあり得ません。

では、街宣の内容は言及しないとして、耳をつんざくような大音量で街宣していること自体で取り締まってくれないのでしょうか。

現実には、これもなかなか難しいです。法律や条例によってその地域の街宣の音量は何デシベル以下と規制されている場合もありますが、問題は「音量を正確に計測することが容易ではない」ということです。

その場に居合わせた人であれば「とてもうるさかった」と証言することはできますが、では何デシベルだったかと聞かれても答えることはできません。街宣の様子を動画で撮影していたとしても、その音量が何デシベルだったのかを動画から計測することはできません。

また、警察でもごく限られた部隊に街宣の音量を測定する機器が配備されている場合がありますが、音量という目に見えないエネルギーを正しく測定するというのは車のスピードを測定するよりもはるかに難しく、そんなに簡単に証拠化できるものではないのです。

「そうは言っても、誰が聞いたって尋常じゃないくらいうるさいじゃないか。明らかに基準値は超えているだろうから、警察はその場で逮捕してよ！」と言いたい気持ちもわかります。ですがこれも先ほどの例と同じで、警察官が聞いてうるさかったからその場で逮捕、なんてことができるようになってしまうと、それこそ独裁国家まっしぐらになってしまいます。

１１０番で駆けつけた警察官はその場で検挙することはありませんが、運転手や車両内の責任者に話をして、立ち去るよう促してくれます。

現場の対応は警察に任せて、ただただ街宣車が立ち去るのを待ちましょう。

【次の一手】 街宣車が来たら110番。あとは立ち去ってくれるのを待つ。

インシデント2-6 「あの人反社ですよ」とタレコミがあった

◆コンプライアンスチェックの難しさ

匿名の電話で「あなたの会社が取引している会社の代表、あれ反社ですよ。まずいんじゃないですか」とタレコミがあった場合、皆さんどうしますか。

私が言うまでもなく、皆さんの会社ではさまざまな部署が多種多様な事業者と契約を結び、業務をしています。2007年に打ち出された反社会的勢力とは取引をしてはならないとの政府方針を受け、契約前にしっかりと反社チェックを行なっているはずです。

しかし、契約当時は問題がなくてもいつのまにか取引先企業がダークサイドに堕ちていた……といったケースもままあります。発覚のきっかけは、匿名のタレコミ、人の噂、ネット情報などさまざまです。もしそんな「グレーなウワサ」を耳にしたら……。

クロと決まっていないのに契約を切って後から問題になっても困るし、でもこれまで大丈夫だったからと放置して、後からコンプライアンス違反と指摘されてマスコミに大々的に取り上げられたらそれはそれで一大事ですよね。レピュテーションリスク（評判や世間からの評価が低下することで企業価値や信用が低下するリスク）は爆上がりですし、絶対に判断を誤ってはなりません。そんな不安を一刻も早く解決したい場合、速やかに管轄の警察署の暴力団担当部署に相談しましょう。**対象者の情報、反社かもしれないと思うその根拠などいくつかの要件をそろえることでその人が反社かどうか調べてもらうことができます。**反社ではないとの回答が得られたら安心して契約を続けることができますし、万が一反社だったとしても適切なアドバイスをもらうことができます。

この「気づいた時点」で警察に速やかに相談した、この事実が重要です。後から問題になった際、本当は気づいていたのに知らなかったと嘘をついたり事実を捻じ曲げようとしたりするから辻褄が合わなくなるのです。警察に届け出る場合、経営陣や広報部門と密に連携し、齟齬がないよう十分に注意してください。

その際注意してもらいたいことがあります。それは、何を根拠に反社だと判断したのか、その理由を準備することです。暴力団担当の刑事さんから「そのタレコミの匿名者はなぜその人が反社だと思ったんでしょうか。何か根拠は言っていましたか。たとえば暴力団の名刺を見せられたとか、インターネットの記事に書かれていたとかでも何でも結構なんですけど」となぜその人を怪しいと思ったか必ず聞かれるからです。

◆裏付けとなる証拠を用意しましょう

警察が何の根拠もなしに皆さんから聞いた氏名や生年月日を基に調査できたらそれはそれで恐ろしいですし、もし暴力団員としての該当あり／なしを誤って伝えてしまった場合大問題になります。よって警察も十分な根拠を求めてくるのです。この根拠は、先に記載した事例でもよいですしどんな情報でも結構です。困ったら相談しましょう。

仮に根拠がない場合、拙速に契約を解除したりすると逆に訴えられる可能性もあるため、注意が必要です。

もし皆さんがさまざまな部署から相談を持ち掛けられた場合、落ち着いて聴取し、なぜそのように思ったのか、不審な点があったのかなど可能な限り疑問点を解消しておくことが大事です。ちなみに直接警察に相談することももちろんできますし、皆さんの会社が都道府県に設けられた全国暴力追放運動推進センターをはじめとする暴力団排除活動を支援する組織に加入している場合は、そちらでも相談できます。会社がどのような団体に加入しているかあらかじめ確認しておいてください。

【ベストな方法】

タレコミ内容を裏付ける根拠を確認し、速やかに警察へ相談しましょう。

「連続放火殺人犯を追え」

毎年12月になると、私はある事件のことを思い出します。

私がまだ駆け出しの刑事だった頃、管内で連続放火殺人事件が発生しました。犯行時間はすべて深夜。初めて捜査本部に入れてもらった私は、「絶対にホシを挙げてやる」と躍起になっていました。現場付近に住む重要参考人の自宅を毎晩張り込み、夜中にふらっと出かけていくその男を尾行し続けました。放火というのは基本的に証拠品が丸ごと燃えてしまいますので、火をつける様子がたまたま防犯カメラに映っているようなケースを除けば、犯行を現認して現行犯で捕まえるしかありません。寒さが身に染みる12月の寒空の下で本当に辛かったのですが、来る日も来る日も張り込みをし、白い息さえも殺しながら尾行し、ついに火をつけた犯人を逮捕できたのです。

連日の張り込み開始からちょうど30日目のことでした。刑事課長に「よくやったね。ご苦労さん」と労いの言葉をかけてもらい、署を出て歩き出した私の目に入って来たのはクリスマスのイルミネーションでした。「これで住民も安心して年を越せるな……逮捕できて本当によかった」と思いながらコートの襟に顔をうずめ、私はまるで刑事ドラマの主人公になったような気分でゆっくりとイルミネーションの下を歩いて行きました……。

しかし！　刑事ドラマとは違って事件はこれでおしまいではありません。翌日から大量の捜査報告書や実況見分調書の作成に追われ、相棒の杉下警部のように優雅に紅茶を飲む暇などなく（笑）、そうこうしているうちにまた違う事件が発生し……という具合で、事件解決の余韻に浸っている余裕などまったくありませんでした。

インシデント2-7 会社によくわからない人が来ちゃった

◆暴れたら110番！

世の中にはいろいろな人がいます。

精神的に不安定な方や、凡人には理解できない摩訶不思議な現象について話をされる方、宇宙平和のために極秘の任務に就いておられ、極秘であるにもかかわらずそれを一所懸命お話してくださる方など、本当にいろいろな方がいます。ヤクザのように悪意をもってアプローチしてくる人であれば、会社にイチャモンを付けて金をふんだくってやろうというような明確な意図がありますので、それはそれとして対応方針を立てやすいのですが、そうではないタイプの人だと返って対応が難しい場合があります。

この「よくわからない人」が会社に来ちゃった場合はどうすればいいのでしょうか。

まず大きな判断ポイントは、暴れる人かどうかです。「何を言っているかよくわからなくて、暴れそうな人」は最も危険なタイプです。迷わず110番してください。そして警察官が現着するまでの間は怪我をしないようにとにかく相手から離れてください。見た感じ暴れそうなタイプではない、あるいは万一暴れてもそれほど危険がないと思われるような小柄な方やご高齢の方の場合、とりあえずお話を聞いてあげましょう。

◆手に負えないと判断したら即警察に依頼

「よくわからない人」のお話は我々凡人には理解できないことが多いので、理解しようとする必要はありません。優しくお話を聞いてあげるだけで安心して帰ってくれる人もいますので、まずは話を聞いてみましょう。ある程度聞いたら、できるだけお引き取りいただく方向に促していきます。

あまりに長くお話を聞いてしまうと、居心地が良くなってしまってその後頻繁に現れるようになってしまう可能性がありますので、徐々に体を出口方向に向けるよう働きかけていきましょう。それですんなり帰ってくれれば特に問題ないのですが、最もやっかいなのはよくわからない人がよくわからない理由でずっと居座ってしまうことです。強制的につまみ出すわけにもいきませんし、理屈は通用しないので説得しようとしても埒が明かないケースが多いです。このような場合も、「会社のルールで決まっていますので、これ以上は対応できません」ときっぱり伝えること、最終的には110番することが有効です。思わぬ事故を防ぐため、できる限り複数で対応すると良いでしょう。

現実にはこのよくわからないタイプの人を刑事手続きで罰することは難しいのですが、警察はそういう人の対応に慣れていますので、必要以上に刺激することなくうまく敷地外へ連れ出してくれます。

【次の一手】

よくわからない人は話を聞きつつ退去を促す。解決が難しい場合は110番。

注1 法務省：企業が反社会的勢力による被害を防止するための指針について（https://www.moj.go.jp/keiji1/keiji_keiji42.html）

注2 公益財団法人 暴力団追放運動推進都民センター 有事の対応（不当要求対応要領）https://boutsui-tokyo.com/measures/correspondence/

注3 場所の定めのない株主総会（バーチャルオンリー株主総会）に関する制度（METI/経済産業省）（https://www.meti.go.jp/policy/economy/keiei_innovation/keizaihousei/virtual-only-shareholders-meeting.html）

第3章

社員が悪いことしちゃった編

インシデント3-1 社員が逮捕された場合

◆社員が出勤してこない?

信じたい気持ちはわかります。ですが、皆が皆「善人」ではないのが現実です。皆さんの会社の社員も悪いことをして逮捕される場合があります。

発覚の経緯は「あれ? ●●さん、出勤してきた? まだ? 何かあったのかな?」というケースが大半です。そして電車が遅れているのかな、携帯の充電が切れて連絡できないだけかも……。などと少し様子を見るのですが、待てど暮らせど出勤してきません。

ここで人事から入手した緊急連絡先に問い合わせるのですが、まぁ、だいたいつながりません。事故にあったんじゃないか、どこかで入院しているんじゃないかとますます心配になり、場合によっては社員の家まで担当上司や人事の方を向かわせることもあるでしょう。

事故やトラブルに巻き込まれて入院していたというケースももちろんありますが、ここでは逮捕され、携帯電話やパソコンを差押さえられて外部と連絡が取れない状態になっているため連絡がつかないケースについて、警察の対応がどうなるか紹介します。

何か悪いことが起こったんじゃないかとオロオロする私たちに親身になって相談に乗ってくれていた、さっきまで「行方不明届」を出すか出さないか話していた警察官が、席を外して戻ってきた後言いにくそうに、「理由は申し上げられませんが、身の安全は確保できていますので安心してください」と告げてきます。これはズバリ、「●●さんは逮捕されて▲▲警察署にいて連絡が取れないだけ、警察が身柄を確保しているから(ある意味)安全なので、自分から連絡してくるまで待っていてね」という説明であり、本当のことを伝えることができない警察官の精一杯のやさしさなのです。

◆逮捕された社員はどうなるか

警察は、犯人を逮捕すると48時間以内に検察官に送致しなければなりません。犯人の身柄を受け取った検察官は勾留する場合は24時間以内に裁判官に勾留請求し、裁判官が認めた場合、長い時で20日間勾留されることになります。

なんだなんだ、何が起こったんだ？——と不安な気持ちで待っていると、弁護士や親族から「いつ、どこの警察署に、どんな罪で逮捕されたか」連絡があり、初めて警察に逮捕されていたことを知るケースが多いです。稀にテレビを見ていたら社名と社員の名前が報道されて目が点になることもありますが。

逮捕された社員が接見禁止となっている場合はどうしようもありませんが、そうでなければ接見できる場合があります。都道府県警察一律でルールが決まっているわけではなく、ある県警では1日に1組だけ、時間は15分（警察官同席）など厳しく決められている場合があります。いきなり訪問してもすでにその日は家族と面会していたなど会えない可能性があるため、弁護士や親族、警察署と密に連携し接見できる機会を逸しないように注意してください。弁護士や親族から話を聞いた場合、当たり前ですが「社員は悪くないんだよ、たいしたことないんだよ」といった何とか会社として寛大な処分をお願いしたいといったバイアスが掛かってしまいます。できる限り逮捕された社員から直接話を聞き、会社としてどう対応すべきかを粛々と決めましょう。

【次の一手】

弁護士や親族、警察と密に連携を取り、できる限り本人の口から事実を確認しましょう。

「警察担当記者の熱意」

「警察は、▲▲の罪で■■容疑者を逮捕しました」といった新聞記事やニュースを目にすることがあります。警察が行う広報に明確な基準はないものの、社会的反響が大きく、たとえば通り魔や連続放火など犯人を逮捕したことを社会に周知する必要がある事件や事故であると警察が判断したものについては積極的に広報を実施します。

各都道府県警察本部には記者クラブがあり、テレビ局や新聞社など多くのメディアが加盟しています。警視庁では広報課が記者クラブと連携しており、広報課の担当者が「●月●日に●●部●●課が事件広報を実施します」という内容を加盟しているメディアに連絡し、その時間に集まった記者は事件担当者から事案概要、逮捕日、被疑者氏名、住所などの説明を受けることができます。

しかし、特殊な事件、社会的反響が大きな事案であればあるほど、手の内がバレることの今後の捜査に対する悪影響を考慮し、必要最小限の情報しか出したくない警察と、何とか他社を出し抜いて特ダネを入手したいメディアとの駆け引きが水面下でバチバチと行われるのです。

原則として、警察署や各本部の広報担当者は決まっています。その者以外は事件についていっさい口外してはならないとの箝口令が敷かれているのですが、実際に事件を捜査するのは現場の警察官であり、広報担当者以上に事件を知っています。よって、メディアの記者が、現場の警察官が朝自宅を出るときや夜帰宅するときに、「どうも、●●新聞の◎◎です。サイバー犯罪対策課の▲▲さんですね?」と声を掛けてくることがあります。いわゆる「夜討ち朝駆け」です。今朝、記者が家の前にいたわ……という同僚の話を何度も聞いたことがあります。

ほとんどのケースで事前に情報がもれることはありませんが、ごく稀に記者から具体的な企業名や被疑者氏名、犯行手口など、絶対に捜査員でないと知らない核心を突くキーワードをぶつけられて「しどろもどろ」になる捜査員もいます。もちろん取材源の秘匿という理由から情報源を明らかにされることはなく、どうやってその情報を入手したか真相は闇の中です。本当に記者の情報収集能力は目を見張るものがあります。

インシデント 3-2 犯罪を犯してしまった社員に対するヒアリング

◆身を守るための嘘を見抜く質問

突然連絡が取れなくなった社員が実は警察に逮捕されていた、というケースがそれなりにあることは先に記載したとおりです。そうなってしまうと、会社としては事実を把握しなければなりませんが、実際に逮捕されてしまうと早い人で3日程度、遅くなると20日以上も連絡が取れません。最終的には出社した社員から話を聞く必要がありますが、その際注意しなければならないことがあります。

それは、**①自身に都合のいい嘘を付く場合**、**②核心を突く情報を出さない場合**があるということです。いきなり逮捕されて外部と連絡が取れなくなると、パニックに陥りどうしようどうしようとなるのですが、留置場に入れられると時間だけがたっぷりある状態になります。「このままだとマズイ、どうやって言い訳しようか……」と不安になりあれこれ考え始めるのです。

たとえば次のように、

- いきなり警察官が自宅に来て何もやっていない私を連れていった
- 何もやっていないことが証明されたので釈放された

などと述べてくるケースがあります。

警察の手続きを知らない皆さんから見ると、何が本当で何が嘘かわからないかもしれません。親身に対応するやさしい人事担当者ほど「何もやってないのにたいへんだったね、警察って横暴だね。大丈夫？」と社員に寄り添います。さらにまったく別の罪で逮捕されている場合でも、友達と飲んで騒いでいたら逮捕された、拾った定期券を警察に届けようと思って忘れていたらいきなり逮捕されたなど「これなら誰が聞いてもそんなたいしたことないよね」と思う入念なストーリーを創作し、滔々と話してきます。そりゃそうですよね、留置場で一日中何にもやることがないんですから。

しかし、警察は任意捜査が原則であり、何の罪も犯していない一般人を突然逮捕することはありません。逮捕して良いか否かは「この人物が怪しい」と捜査している警察官ではなく、第三者である裁判官が判断します（現行犯逮捕など一部の例外を除く）。身柄を拘束することは人権侵害の最たるものですのでそれはそれは慎重です。社員の話に少しでも疑問を持ったら遠慮なく質問しましょう。

◆不起訴処分告知書で事実を確認しよう

弁護士事務所のホームページに「会社にバレないように最善を尽くします！」といったうたい文句を記載しているところが多くあります。事実が特定されないようにあれこれとアドバイスするのです。一般的に、会社の就業規則上虚偽の報告をすることはできないため、「それは言えない、メンタルがやられているのでそっとしておいてほしい、疑心暗鬼になっている」など会社側が確認しづらい状況を（弁護士の指示のもと）作り出してきます。

今後皆さんが対応する際、あれっ、何か会話が噛み合わないぞ？――と思ったときは、粛々と本人の言い分を聞いたうえで、決して失言しないよう注意してください。まず間違いなく弁護士の指示で録音していますから。言うまでもなく皆さんも対象社員の失言を証拠化するために録音や録画することを忘れないでください。

　では弁護士監修の2時間ドラマのような社員の創作話を鵜呑みにするしかないのでしょうか。もしかしたら会社に関連する犯罪を犯していて、突然警察官が会社にやってきて令状を示し、パソコンや書類を差押えられるかもしれません。テレビやインターネットで大々的に社名が報道され、「不起訴になったって言っていたじゃないか……。あれは真っ赤なウソだったのか！」となるかもしれません。こんなとき会社として何とかして事実を確認する方法はないのでしょうか。

　実は100％とは言わないものの、ある程度事実を確認する方法があります。それは**「不起訴処分告知書」**を本人に提出させる方法です。

　警察が何らかの事件を捜査した場合、原則全件検察官に送致しなければなりません。そうすると検察官は起訴または不起訴を判断することになります。

　不起訴処分告知書には、発行日、検察官氏名、罪名、場合によっては不起訴となった理由などが記載されており、客観的に事実を確認できます。社員が嘘をついているとは思いたくないですが、本人の申告と相違ないか、会社に関連する犯罪ではないか、本当に不起訴となっており会社の資産を突然警察官が差押さえに来ることはないか、テレビで大々的に報道されてレピュテーションリスクが高くなることはないかなど、ある程度判断できます。

まさかそんな作り話をすることはないでしょ、うちの会社の社員に限って……と思った方は、今すぐ会社のルールを確認してください。不起訴処分告知書などの第三者が客観的に判断できる資料を提出させることができるようになっていますか？　なっていない場合は、会社のルールを見直すことをお勧めします。

もちろん、人間誰しも過ちを犯すことはあるでしょう。しかし、今後一緒に働く仲間として、信頼関係がなくなっては元も子もありません。起きた事実と正面から向き合い、これから力を合わせて共に歩んでいくために、誠実にやりとりすることが社会人としての最低限のルールだと思いますが、皆さんどうですか？

【これが定番！】

しっかり話を聞いて、矛盾するところはとことん質問しましょう。

インシデント3-3　社員のSNSを確認せよ

◆ネット民の特定能力はすさまじい

皆さん、SNSは使っていますか？　Facebook、LinkedIn、Instagram、X（元Twitter）などでしょうか。当然、皆さんの会社でもSNSで会社の重要機密事項を発信してはならないなどのルールがあると思いますが、休暇でどこに旅行に行った、友達と何を食べたなど私的な発信は禁止されていないはずです。しかし、Facebookを筆頭に、実名や勤めている会社を事細かに書いている社員がいるんです。そういう社員が何らかの罪を犯し、警察に逮捕され実名が報道されてしまったら何が起こると思いますか？——そうです、ネット上であっという間に特定されてしまいます。警察署で勤務していたころ、ある相談者から、ＳＮＳでアップした写真の背景や太陽の位置（影の長さ）から住所とビルの高さが特定され、●●会社の社員であることをネットで晒されて困っているとの相談を受けたことがあります。侮ってはいけません、ネットの威力はすさまじいものがあります。

◆レピュテーションリスクの抑え方

社員が警察に逮捕されたことを報道で知った場合、会社としては正直どうしようもありませんが、皆さんが先に、社員が何らかの不祥事を起こしたことを把握することもゼロではありません。たとえば該当の社員から黙っていることの辛さに耐えきれず犯罪を打ち明けられた場合、同僚が異変に気づいて相談してきた場合など公になる前に気づくチャンスがあります。その場合、レピュテーションリスクを可能な限り抑えるべく、社員を呼び出して話を聞いたり、示談を進めたり被害弁済をさせて民事的に解決することができる場合がありますので、アンテナを高く情報収集に努めてください。

そこで運よく社員から話を聞くことができ、起こした不祥事を認めたとしても、「あぁよかった、表沙汰になる前に芽を摘み取ることができた」と安心してはいけません。リスク管理の要諦は常に最悪のケースを考えて行動することにあります。もう一歩踏み込んでその社員がＳＮＳをやっていないか確認してください。皆さんは警察官ではありませんので、携帯電話を差押さ

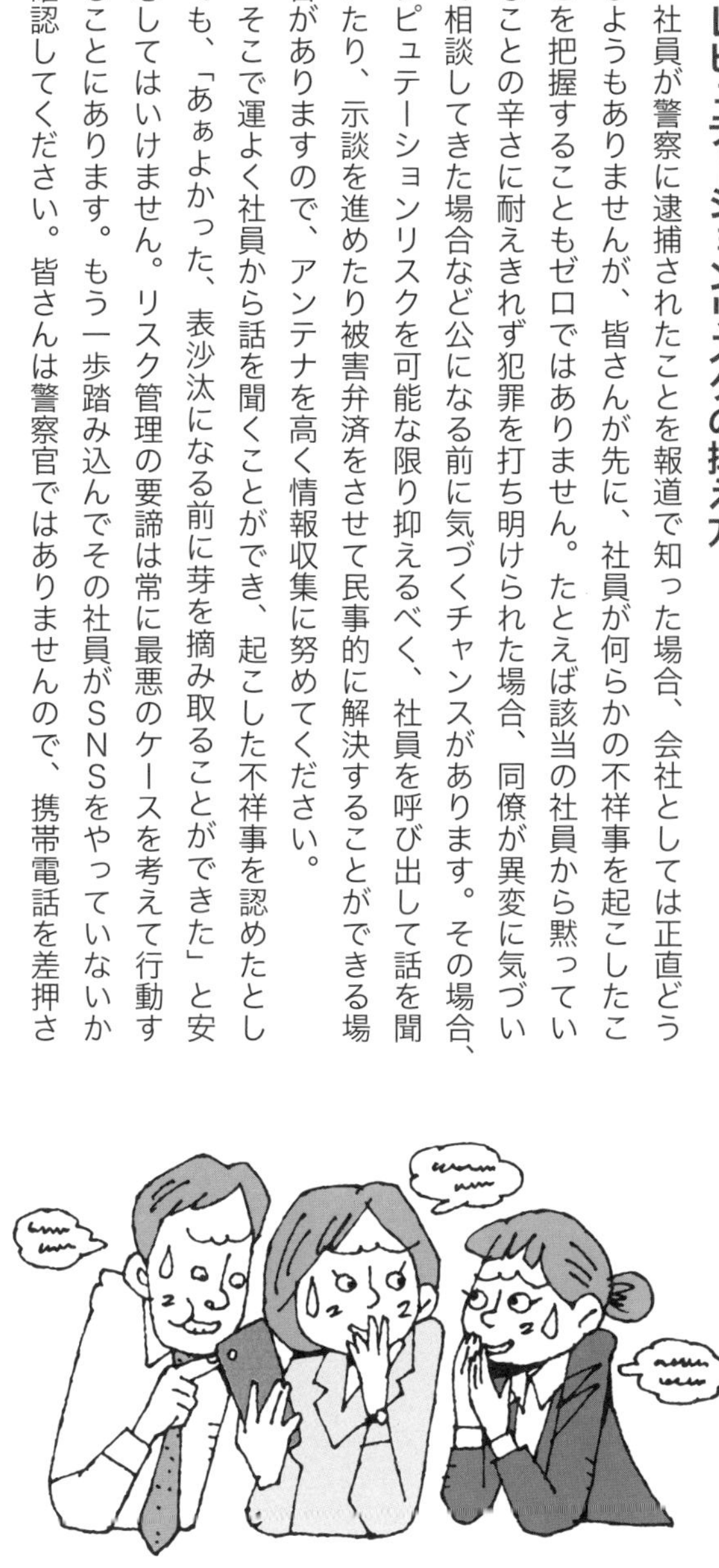

えて強制的に中を確認することはできませんが、「会社に迷惑を掛けないために協力してほしい」など説明すると協力してくれるはずです。

社員のプロフィールに皆さんの会社名が記載されていた場合、もし社員が逮捕されて実名が公になるとネット上で餌食になる可能性が高く危険です。そうなると会社へのダメージは計りしれません。最後まで気を抜かずにぜひSNSをチェックすることを忘れないでください。もしかしたら、前職のままプロフィールが更新されておらず、まったく関係ない前職の会社がネットでボコボコに叩かれることになるかもしれませんが。

【次の一手】

実名登録のSNSなど、社名を記載していることがあるので注意。

インシデント3-4 職場の捜索差押(さしおさ)えを受ける場合

◆差押えの現場では何が起きているのか

社員が起こした犯罪が横領や詐欺など会社に関連した犯罪だった場合、職場の捜索差押えを受けることがあります。その場合、警察は●月●日●時ころ職場の捜索差押えに行くのであれとそれとこれを準備しておいてね、と連絡をくれることは基本的にありません。言うまでもありませんが、事前に通知してしまうと証拠が隠滅されてしまう可能性があるからです。

よって、普通は電撃訪問されてオロオロしている私たちをよそに、警察が粛々と裁判官が発付した捜索差押許可状に添付されている「差押さえるべき物（**通称べきもの**、裁判官が差押さえていいよと認めたものです）に記載されている物品」を差押さえて持っていってしまいます。当たり前ですが、明らかに事件に関係ない物を差押さえることを裁判官が認めることはありませんし、とは言え何が関係するかわからない警察にとって令状に書かれていないから差押さえられない！――と目の前に重要な証拠があるのに持って帰ることができないことほど残念なことはありません。ですので警察は、これまでの経験や事件の態様を徹底的に調べたうえで漏れなく差押さえるべき物を記載した令状を請求します。一般的にべきものに記載されているのは、パソコンや携帯電話、USBメモリをはじめとする電磁的記録媒体、帳簿、メモ帳などでしょうか。

裁判官から発付された令状の有効期間は通常7日間と決められており、一度差押えを終えた後に「あっ、あれ差押さえるの忘れた！」と思っても後の祭りです。もう一度同じ場所で捜索差押えを実施する場合は新たに令状を取り直す必要がありますし、よっぽどの理由がない限り裁判官も同じ場所で二度目の捜索差押えを認めません（そんなの認めてしまったら警察の都合で何回もできちゃうでしょ？　との理由です）ので、それはそれは警察は、周到綿密にていねいに時間を掛けて捜索していくのです。

◆事前に差押え日時が告知されるケース

しかし稀に、警察から捜索差押えに行くことを事前に通知される場合があります。大きな理由の一つに執行場所を管理する責任者や管理者の行動を警察が事前に把握することが困難である場合があります。つまり相手に告げることで証拠が隠滅されるかもしれないデメリットと、有効期限ややり直しが効かない捜索差押えを必ず執行できるメリットを天秤にかけて後者を取ったということです。

もし皆さんが警察の捜索差押えを受けることを事前に知らされた場合、何でウチが!?と理由を知りたい気持ちはわかりますが、ピンチをチャンスととらえて動揺することなく会社としてできること、たとえば警察との窓口となる担当者を決めて可能な限り協力する、休日や早朝、夜間の人気の少ない時間に最小限の範囲だけで対応可能か調整するなど、会社にとって何が最善かをよく考えて対応してください。

「これから○○県警の捜査員が捜索に入ります！」「たった今、○○容疑者が出てきました、捜査員の説明を受けています！」などとテレビで大々的に報道されている映像をたまに見ることがあります。なんで令状を執行する前から捜査情報がダダ漏れなんだ？——という素朴な疑問はいったん置いておいて、これは会社にとって大きな損失であり、仮に悪いことをしていないことが後から証明されたとしても、マスコミは「○○容疑者は嫌疑不十分で不起訴でした」など懇切丁寧に報道してくれることはまずありません。

何の根拠もなく警察が捜索差押え許可状を裁判官に請求することはありませんし、裁判官が許可することもありません。繰り返しますが、会社にとって何が重要かを常に考えて行動してください。原因の追及はそれからでも遅くありません。

【これが定番！】

警察から捜索差押えを行いたい旨の連絡があった場合、何が重要かを考えて最善と思える行動をとりましょう。

コラム

「ニュースに出る事件は氷山の一角」

私が警察官になって驚いたことの一つに、日々発生する事件の多さがあります。見習いとして初めて警察署の宿直勤務に就いた時の話です。

その日は空き巣被害の１１０番や交通事故の１１０番、「お巡りさん、あそこで人が倒れています」という急訴事案、そして家の中で首を吊って亡くなっている事案など、息つく暇もなく一晩中対応に追われてヘトヘトになり、寮の部屋に帰り着いたらそのまま泥のように眠ってしまいました。駆け出しの警察官には辛い仕事でしたが、ひとつひとつの事件に対応することで世の中のためになっているという実感がありました。

そして翌朝、テレビのニュースを見ても新聞を見ても昨日担当した事件が一つも報じられていないということに驚きました。当然です。このような事件は毎日星の数ほどあるのです。私は一都道府県警察の一警察署の一巡査であって、その目の前で起きていた事件など日本全国規模で見たらチリのようなものだったのです。

もっと言うと、すべての事件が必ず警察に通報されているわけではありません。この本を読んでいる方は多かれ少なかれ会社に関する犯罪行為を見聞きしたことがあると思いますが、そのすべてを警察に届け出てはいないと思います。報道されて皆さんの知ることになる事件や事故は、氷山の一角の、その先端くらいでしかないのです。

第4章

会社で起きた事件の対応編

インシデント4-1　社内の物が盗まれた

◆社員を疑うのは気持ちよくないけど……

会社にはさまざまな財物があります。オフィスの備品や倉庫にある商品、金庫や個人ロッカーの中にある現金など、本気で盗もうと思えば盗めてしまうものは皆さんの会社の中にもたくさんあることと思います。盗む人も、社員やアルバイト、清掃業者、運送業者、警備員など、いろいろなパターンが考えられます。

社内で窃盗事件が起きたら、まずは防犯カメラの映像を確認してください。防犯カメラがなかった場合、その時点で犯人の特定は困難を極めます。唯一、犯行現場が極めて限定した人しか入れない場所であった場合で、かつ現場保存が適切に行われていて（犯行が行われた直後の状態のままキープされている状態）、かつ犯人が素手で触れた場所がツルツルしていて指紋が残りやすいという場合は、鑑識が臨場して指紋を採取できる場合があります。

しかし、残念ながら指紋には名前が書いてありません。そこに立ち入る可能性のあった人全員から「協力者指紋」という形で左右すべての指紋を警察に採取してもらい、その中で誰の指紋と一致するかを調べてもらうこととなります。これはつまり、何人もの社内関係者を疑わなければならないということになります。協力者指紋は用済み後に即廃棄されますが、何も悪いことをしていないのに警察に指紋を取られるというのは一般的にあまりいい気もしないでしょうし、会社として社員にそれをお願いしていいのかという問題もあります。

もちろん、盗まれた物が極めて高価であったり重要なものであったりする場合にはやむを得ない場合もありますが、基本的には防犯カメラに犯行そのものが映っていなかったら犯人の特定は難しいと思ってもらって間違いありません。

警察に届け出ても、会社にとって良いことはないでしょう。

例外的に、たとえば社内で窃盗事件が連続発生しているような場合に、110番して一度警察官に現場に来てもらって犯人を牽制するという手法もなくはないですが、その後発生しなくなるという保証はありませんし、根本的な解決にはなりません。また、職場に警察官が来るというのは真面目に働いている社員にとってはショッキングなことですし、職場に対する不信感を募らせることにもなりかねないので、できれば避けたほうがいいと思います。

◆防犯カメラこそ最高の抑止力

ここで一つ皆さんに考えてもらいたいのは、「盗めるチャンスがあったらどんな人でも盗んでしまうかもしれない」ということです。「犯罪機会論」という考え方がありまして、これは「人は動機があっても機会がなければ犯罪行為を行わず、そのチャンスが訪れたから犯行を行うのだ」というものです。

たとえば、ものすごくお腹が空いている時に目の前に大量の美味しそうな料理があって、まわりに誰もおらず、防犯カメラも見当たらず、どう考えても絶対にバレないというチャンスがあったら、いかに高尚で崇高でマーベラスでファビュラスな人格を持った私でも（笑）、ひと口くらいつまんでしまうかもしれません。

ですが、まわりに人がいたり、防犯カメラがあったり、食べたら手や口が汚れて周囲にバレてしまうようなものであったら、それらが抑止効果となってつまみ喰いはしないでしょう。会社の中にあるものも、このうちどれか（あるいは複数）で抑止効果をかけることによって守ることが重要です。

最もわかりやすくて効果的なものは防犯カメラです。前述の抑止効果を

考えると、防犯カメラの存在は隠すのではなく、誰にでもわかるような形で設置するのが正解です。

あまりお勧めはしませんが、ダミーの防犯カメラであっても一定の抑止効果が最低でも見込めます。

【ベストな方法】

社内窃盗は未然防止も事後捜査も防犯カメラ一択。

インシデント4-2　社内で暴行事件が起きた

◆暴力事件の処理は迅速に

誰も見ていないところでこっそりと犯行が行われる窃盗事件と違って、社内の暴行事件は最初から被疑者が特定されている場合がほとんどですので、犯人探しに苦労することは基本的にはありません。

社内での暴行事件を認知したら、まずは怪我の有無を確認します。

●怪我をしていて処置が必要な場合

迷わず119番通報し、オペレータの指示に従ってください。被疑者の確保はそのあとです。なお、暴行・傷害事件のように救急車とパトカー両方に来てもらいたい場合でも、119番か110番どちらか一方に連絡して状況を伝えれば、救急から警察に、あるいは警察から救急に情報を連携する仕組みになっています。警察官が現場に到着すれば、被疑者や被害者から必要なことを聴取してくれます。暴行によって社員が怪我をしたのであれば、それはもう事件です。事件のことは警察に任せましょう。

● 怪我がない、あるいは病院に行くほどでもない軽傷の場合

被疑者がその場にいる場合は別の場所へ連れて行き、被害者と被疑者がお互いに見えない場所でそれぞれからヒアリングします。暴行は立派な犯罪ですので、すぐに警察に！という気持ちもわかるのですが、まずは社内関係者で事実確認をすることをお勧めします。理由は、警察官が来ても皆さんと同じことをするしかないからです。

暴行したのだからすぐ手錠をかけて刑務所に入れてくれるんじゃないの？——と思うかもしれませんが、現実的にはそのようなことはありません。であれば、警察を呼んで必要以上に社内をざわつかせるよりも、上司や人事担当者がしっかりと事案を把握して解決に向けて動き出したほうが良いです。

● 怪我はなく、当事者双方が暴行した場合

一方的な暴行ではなく、双方が殴り合ったという場合もあるでしょう。これを相互暴行と言いますが、怪我がないのであれば警察を呼ぶ必要はありません。事情を聞けばほとんどの場合「相手が先に手を出してきたから悪い」「相手が悪態をついてきたから悪い」などという弁明が双方から出てきますが、そんな事情はどうでも良いのです。子供のケンカと何ら変わりませんので、言い分を聞いてどちらが悪いかを判断する必要はありません。暴行をした時点でどちらも悪いのです。双方を引き離して話を聞き、どのような事情があっても暴力行為は許されないという至極当たり前のことを伝え、二度と暴力行為を行わない旨の誓約書を書かせましょう。

【これが定番！】 怪我をしていたら救急車。怪我がなければ警察は不要

コラム

「なんで警察官が取調べをするの？」

警察官として勤務していた当時、ある同僚から「部下から質問されていい回答が浮かばず困っているのだけどちょっと聞いていい？ こんな質問なんだけど、お前ならなんて答える？」と相談されたことがあります。

「なぜ警察署に被疑者を長期間勾留し、警察官が取り調べて調書を作成するんですか？ だって今は相談業務とか人身安全とか、昔に比べるとはるかに我々がやらなければならない仕事が多いですよね。警察官の人数の増え方以上に仕事が増えて業務が圧迫される一方ですし。決して組織を批判するわけではないんですけど、ただ黙秘したり否認したりする被疑者を何とかしてしゃべらせようとするその時間を、もっと他の業務に割り当てることができるんじゃないかと思うんです。もっと言えば留置担当も警察官である必要があるのか疑問ですし、警察官じゃないとできない職務執行とかほかにやれることがあると思っています。弁護士が立ち会うことができない取調べも問題視されており、少しずつ録音・録画制度も拡大されていますよね。罪名が●●だったらこの書類、被疑者によっては注意しなければいけないなど、我々がミスしたら大問題になりますし」

なるほど、それはね……と説明したいところ、ふと考え込んでしまいました。苦労して第一次捜査権を日本警察は勝ち取ったとか、検事さんが圧倒的に少ないとか、アメリカをはじめとするほかの国と法制度が違うといった理由はすぐに浮かんだのですが、それって質問に正対する回答じゃないよな……とその場で明確に答えを出すことができませんでした。

モヤモヤしていたある日、FBIの捜査員から「前々からすごく疑問に思っていたことがあるんだけど聞いていい？ 何で日本の警察はあんなに長く被疑者を勾留して取調べするの？ アメリカだったら、逮捕したときに「やったの？ やってないの？」と聞いてどっちを答えても「あっそ。わかった」と言って検察官に送ったら終わり。次の新しい事件捜査に向かう。有罪無罪は陪審員が決める。日本の警察官はあれもこれもやるんでしょ？　大変だと思うんだけど」と日本の取調べ制度について質問されたのです。

また同じ時期、ある検事さんから「警察の方が作成した調書を念のため検察官が作成し直すことがある。決して警察官の調書を信用していないわけではないが、気を悪くしないでほしい」と説明されたり、裁判官からは「今は客観的な証拠が有罪の決め手となる。もちろん調書も大事だが、客観的な証拠の有無が極めて重要」と言われたりしたこともありました。

検事さんも裁判官も、「警察官の調書が信用できない」など微塵も思っていないことは理解できたのですが、同僚やFBIの捜査員から問われた直後にこの話を聞いた私にとって、これは難しいと言いますか、すごく考えさせられた出来事でした。

インシデント4-3　会社が脅された

◆怨恨と脅迫への対処

社員が会社に対して恨みを持った場合に、会社や上司を脅してくる場合があります。「殺してやる！」というような直接的な脅しであったり、「自宅に押しかけるぞ！」というような言い方であったり、様態はさまざまです。また、社外の人が会社に対して不満を持って脅迫してくるということもあります。

対応する側として大切なことは、恨みを持った原因と脅迫行為は切り離して考えるべし、ということです。

仮に会社側に一部非があったとしても、だからといって脅迫行為をしていいということにはならないからです。たとえ会社側が民事的に補償すべき立場にあったとしても、それはそれ、脅迫は脅迫ですので立派な犯罪です。

脅迫行為を受けた時は、組織として毅然とした対応をすることが大切です。相手の言動や行為を記録し、そのような行為は脅迫罪に当たるので直ちにやめるように冷静に警告しましょう。その際、これが繰り返されるようであれば警察に届け出ると伝えることも有効です。客観的な脅迫事実だけに着目して、その行為単体が犯罪に当たることを冷静に、淡々と指摘しましょう。

◆一対一から一対会社への転換

「そもそもお前が○○したからだろ！　悪いのはお前の方だろ！」などと言われても関係ありません。何かをされたからお返しに脅迫しても許されるという法律はないからです。警告は口頭でもメールでも文書でもかまいませんが、長期化することが予想される場合は証拠に残る形にしておいたほうが良いでしょう。証拠を持って警察へ行けば、警察から対象者に警告してくれたり、態様がひどい場合は検挙したり適切に対応してくれます。

一方で、対応する社員のケアも非常に重要です。決して一人に任せることなく可能な限り複数の社員で一緒に対応し、相手にも会社として組織で対応していることを明確に伝えることが大事です。なぜなら、脅迫という犯罪は暴行と違って、受ける側の人数を増やすことで感覚的なダメージを薄めることができるからです。

一対一ではなく一対会社という構図を作ることによって、対応する社員もいい意味で「自分だけが当事者ではない」という感覚を生み出すことができ、心理的な負担を軽減し、冷静に客観的に対応を進めることができるようになります。

【ベストな方法】

脅迫行為に対しては冷静に警告。
会社側は複数で対応してダメージを薄める。

インシデント４-４　会社の備品を壊された

◆備品の価値を考えよう

会社の備品が故意に壊された場合は、器物損壊罪という罪で問擬(もんぎ)[注1]することになります。

目撃者がいて、すぐに犯人が特定できるような場合は、その場で110番することで被疑者を速やかに確保できる可能性があります。目撃者がいなくても、防犯カメラに犯行の一部始終が映っていれば、内部犯行の場合は比較的容易に犯人を特定できる場合が多いでしょう。

防犯カメラがあっても、そこに映っている犯人に心当たりがない場合（通りすがりの第三者等の場合）は、その先の捜査は難易度がグッと上がることになります。

壊された物の重要度によって、端的に言うとどのくらい高価なものなのか、あるいは重要文化財や有名美術品のように社会的価値があるかどうかによって、その後警察がどれだけのリソースを割くかが変わってくることになります。

◆刑事と民事は別問題

しかしここで考えていただきたいのは、皆さんの真の目的は何なのか、ということです。

会社の物品を盗まれた場合は、警察が犯人を捕まえて被害品を押収し、還付してもらうことによって会社の被害を回復できることもありますが、器物損壊の場合は被疑者を捕まえても壊れたものが自動的に元通りになるわけではありません。つまり、会社としての被害を回復するためには、刑事事件として犯人を捕まえてもらったうえで、さらに民事事件として損害賠償請求をしなければならないことになります。そのためには、警察への通報、実況見分の立会い、長い長い供述調書への対応、弁護士との相談、損害賠償請求の検討など、かなりの手間とコストがかかります。

たとえば犯人が社員であって、被害弁償をさせたうえで懲戒処分にすればそれでかまわないということであれば、あえて警察官をオフィスに招き入れ社内をざわつかせる必要はありません。また、犯人の反省度合いや財力によって、損害賠償請求をしても実質的にお金を払ってもらえる見込みがない場合は、コストをかけて民事で争うこと自体がナンセンスということになってしまいます。

したがって、場合によっては犯人探しもせずに会社のお金や加入している保険で修理して終わりにする、あるいは損切りとして何もしないということも選択肢としては十分にあり得ます。

刑事事件にする／しない、民事事件にする／しないをケースバイケースで判断して、会社がそれ以上損をしないように（その時点で会社にとってベストの選択を）することが大切です。

【これが定番！】

犯人を捕まえても壊れたものは壊れたまま。修理代を誰が出すかは別問題。

インシデント4-5 社用車が交通事故を起こした

◆事故が起きたらレピュテーションリスクを考える

車は走っていればいつかは事故を起こします。たとえ高度な訓練を受けた警察官が運転するパトカーであっても、絶対に事故が起きないと言い切ることはできません。統計によると大きなものから小さなものまで交通事故は年間で30万件ほど発生していますので、単純計算で1日800件以上もの交通事故が起きている計算になります。

道路交通法では、交通事故を起こした時は直ちに警察に届け出なければならないと定められています。これは運転者や同乗者としての義務ですので、まずは現場で110番するということを徹底させてください。怪我人がいる場合は応急救護をしたり、後続の車が突っ込んできたりしないように発煙筒を焚いたり、状況によってとるべきアクションはさまざまですが、ここでは割愛します。

会社として考えなければいけないことは、レピュテーションリスクです。車に社名が表示されている場合や、相手方とのやりとりで社名が伝わる場合など、運転者は会社の代表として見られる場合があります。その場で誠実に対応していればまだ良いのですが、どちらが悪いなどということで口論になったり、相手から見て適切な対応をしていないと思われると、SNSで写真や動画とともに拡散されたりすることがあります。

◆交通にまつわるトラブルと向き合うことが大事

私が学生のころ、「交通事故を起こしたときに自分が悪いと思っても絶対に謝っちゃダメだ」などと言われたことがありますが、そんなことはありません。その場で反論しなかったからと言って、相手の言い分が100％そのまま通るというようなこともありませんので安心してください。過失割合などは実況見分を行った後に保険会社が入ってから検討するものですので、慌てず騒がずとにかく現場で110番して警察官の指示に従う、これに尽きます。

交通違反で検挙された場合も、粛々と現場の警察官の指示に従っていただくだけです。オービスでの後日呼び出しの場合も同様です。

取り締まりに納得がいかない場合の手続きは切符裏面に記載されていますので、そちらを参照してください。交通取り締まりマニアの方が交通違反検挙の様子を動画撮影してSNSでアップしていることもありますので、言動に注意が必要なのは交通事故の場合と同様です。なお、交通取締りというのはごく限られた日時にごく限られた場所でのみ行われ、たまたまその時に居合わせた車両のうち明らかな違反をしたものだけが検挙されるというものです。

たとえば、普段完璧な運転をしている人、今まで一度も交通違反を犯したことがない人が初めて犯した交通違反をその場で取り締まられる確率は、極めてゼロに近いでしょう。つまり交通違反で検挙された人は、それ以外にも気づかぬところでいろいろな違反を犯していて、気づかぬところでいろいろな危ないことが起きていて、気づいた時には取り返しのつかない大事故を引き起こしてしまう可能性が十分にあるのです。

「切符を切られて運が悪かった」のではありません。

いきなり出くわしたのが自転車に乗った子供ではなく、取り締まり中の警察官で運が良かった、そう考えてみてはいかがでしょうか。

【考え方を変えよう】

交通事故は現場で110番。対応は誠実に粛々と。
交通違反の対応も誠実に粛々と。

インシデント4-6 社員が自殺すると言ってきた

◆まずご家族へ連絡しよう

いろいろな事情で心理的に追い込まれた社員が「死んでやる」などと言ってきた場合の対処を考えてみましょう。会社側に非があるかどうかは別として、心理的に疲弊した社員が会社に対して恨みをもってこのように言ってくることがあります。

会社としてまずやるべきことは、家族への連絡です。仮に上司が本人と話し合ってそのときは落ち着いたとしても、その夜に自殺したりすることもあるかもしれません。そうなると家族としては「なぜ会社は連絡をくれなかったのか、どうしてくれるんだ、責任を取れ」という感情になります。

ですから、とにかく家族に一報するようにしてください。自殺をする人の心情は誰にもわかりません。私も警察官時代に数多くの自殺の現場に臨場しましたが、実際に自ら命を絶ってしまった人から事情を聞くことはできないのです。何が嫌だったのか、どういう心境で自殺をしたのか、死ななくてもいい方法は考えなかったのかなど、真相は永久に闇の中です。

自殺を未然に防ぐことは本当に困難です。会社としてできることは、連絡すべき人にいち早く連絡することです。自殺をほのめかすような言動があった場合は、会社で把握している家族等の緊急連絡先に迷わず連絡しましょう。家族等による看護が期待できない場合は、警察に相談してください。その際に必要となるのは、対象社員の氏名や住所等の個人情報と、自殺をほのめかす言動の記録です。家族等の個人情報も持ち合わせているかぎりすべて警察に提供してください。人命にかかわることですので、個人情報を提供することに関して躊躇する必要はありません。

◆精神保険福祉法の23条通報手続き

自殺や自殺未遂という行為自体は犯罪ではありませんので、警察としてもできることは限られていますが、たとえばリストカット等の自殺未遂の行為が発生している場合は、精神保険福祉法の23条通報という手続きをとることができる場合があります。これは、精神的に不安定な人で自傷他害の恐れがある場合に、警察官がある程度の強制力をもってその身柄を自治体の指定する精神病院に運び、精神科医の診断結果によっては本人の同意を得ることなく強制的に入院させることができるという手続きです。

その人の意思に反して人権を著しく制限する手続きですので、ちょっと自殺をほのめかしたくらいでいきなり強制入院になるということはありませんが、その方の命を守るための最終手段としてこのような手続きがあるということは知っておいて損はありません。

Best【ベストな方法】

自殺をほのめかす言動があったら即家族に連絡。

インシデント4-7 内部通報制度と警察相談

◆自分の身の守り方

皆さん、公益通報者保護法という制度をご存じですか？　何となく聞いたことがあるけどよくわからない、自分にどういったかかわりがあるのかピンとこないのではないでしょうか。２００４年に制定されたこの法律の目的は、公益通報（会社内部の者が「これって内部不正行為だよね、法律違反だよね」と気づいた場合に適切な部署や機関に通報すること）を行った者を保護し、健全な仕組みや社会を作りましょうというものです。しかし、勇気を持って内部告発をした社員個人が特定され、左遷されたり会社を辞めざるを得なくなったりするなど不利益を被る事例が発生したことから、２０２２年６月に改正公益通報者保護法が施行されています。一応法律はあるけど実質怖くて通報できないよね、意味がないよねとならないために、①会社で内部通報制度を定めることを義務化すること（一部の事業者は努力義務）、②通報した個人が不利益を被らないようにすること、③内部通報を受理した者が秘密を洩らした場合、30万円以下の罰金を科すことなどが定められました。これまで、会社の不正行為が問題となった事案で、同会社の内部通報制度が整っておらず、通報しても握り潰された、通報した人がまったく守られなかったなどテレビやインターネットで見聞きしたことがある方も多いのではないでしょうか。

◆抱え込まずに相談しよう

この内部通報制度ですが、会社の担当者は細心の注意を払ってひとつひとつ対処しなければなりません。しかし、匿名通報にも良い面と悪い面があり、悪い面としては一方の話しか聞くことができず、確認しようと思っても通報者に折り返し連絡できない場合が挙げられます。また、通報された側が一方的に「通報したのはアイツだ」

と根拠なく特定し、双方が罵り合う誹謗中傷合戦のようなケースに発展し、収拾がつかなくなることもあります。

警察にはあらゆるトラブルに関する相談が寄せられます。中には自身に都合の悪いことはひた隠しにして、一方的に相手を貶める発言や相談もありますが、第三者である警察がどちらか一方に肩入れすることは絶対にありません。あくまで中立の立場で話を聞いてくれますし、専門の行政機関や適切な制度を紹介してもらえることもあります。さらに刑罰法令に触れる場合は事件化も視野に入れて話を聞いてくれるので一石二鳥です（もちろんお金もかかりません）。

もし気になることがあって「報復されるのは怖いけど、このまま黙っているのも良くないし」と悩むことがあった場合は内部通報制度と同様、警察に相談するという選択肢もあることを覚えておいてください。

【次の一手】 警察は犯罪に絡むこと以外でも相談に乗ってくれます。

注1 立件可能かどうか検討することの意で法律用語。

第5章

警察から問合せが来ちゃった編

インシデント5-1 捜査関係事項照会書とは

◆捜査の始まりは書類から

皆さんは捜査関係事項照会書というものを見たことがあるでしょうか?

捜査関係事項照会書とは、刑事訴訟法第197条第2項に基づき警察が作成する文書で、これにより警察は公私の団体に照会して必要な事項の報告を求めることができます。簡単に言うと「悪い人を捕まえるためにあなたの会社が持っている記録が必要なので出してください」という警察からの正式なお願い文書です。

たとえば悪いことをしてお金を稼いでいる犯人を捕まえるためには、警察から銀行に照会して記録を出してもらいお金の流れを明らかにする必要がありますし、電話で脅された場合は相手の電話番号を調べて、それが誰の名義の電話なのかを照会する必要があります。捜査関係事項照会書は捜査を進めるうえでなくてはならない非常に重要な武器であり、これなしで犯人の検挙はあり得ないと言えるほど警察にとって必要不可欠のものです。

新米刑事がまず最初に覚える仕事がこの捜査関係事項照会書の作成でして、私も先輩刑事さんの書類を見ながら毎日のように照会書を作成していました。こういうシーンが刑事ドラマでまったく登場しないのは、やはりテレビ的に地味すぎるからなんですかね(笑)。

◆郵送で届く照会書

こうして警察で作られた照会書が、皆さんの会社に郵送で送られてきます。この令和の時代にまさかと思うかもしれませんが、角印が押された文書の入った封筒が郵送されてきます。照会書が届いたら、そこに記載されている依頼事項に基づいて企業側で回答書を作成し、返送する必要があります(照会書への回答は任意ですが、企業側には受任義務があると解されています)。作成すべき回答書の書式に決まりはありませんが、どの警察署から届いたどの照会書に対する回答なのかを明記したうえで、必要事項について簡潔に回答するのが良いでしょう。照会書の内容に不明な点がある場合は、書面の最後に記載されている事件担当者の連絡先に電話で問い合わせてください。

なお、企業に届く捜査関係事項照会書の内容や書き振りは、照会書ごとに毎回違うかもしれません。なぜなら警察官の人数は全国で約26万人、一つとして同じ事件はなく、それぞれの警察官が事件捜査に必要だと思う情報を入手するために、思い思いの書き方で文書を作成するからです。しかし照会書が頻繁に届く企業側からすると、警察からは決まったフォーマットで照会書を出してもらったほうが対応しやすいという場合もあるかもしれません。そのような場合は、フォーマットの統一について事件担当者に相談することをお勧めします。適切な担当者を紹介してもらえるはずです。

【これが定番!】

捜査関係事項照会書が届いたら回答を作成して返送。

コラム

「アメリカの警察事情」

皆さん、アメリカの警察と聞くと何が浮かびますか？　FBIやニューヨーク市警、映画ではダーティ・ハリーのクリント・イーストウッド、ダイハードのブルース・ウィリス、ビバリーヒルズ・コップのエディ・マーフィなどでしょうか（古いですね……）。日本と異なり、アメリカにはものすごい数の警察が存在します。連邦警察、州警察、軍警察、市警察をはじめ、●●公園警察、▲▲学校警察など、そんなに細かいの!?　というぐらい細分化されています。

FBIはどんな組織か、どんな警察の種類があるか、警察官と保安官（シェリフ）の違い、警察官の装備など、ネットの記事にいろいろと書かれているためなんとなく理解したつもりになっているのですが、「なぜこんなに細かく分かれているのか」については考えたことがありませんでした。

先日、その理由について「そういうことだったのか！」と思える話をお世話になった検事さんからうかがうことができたので紹介します。それは、次のようなものです。

- どこの国でも警察は忙しく、すべての事件を受理して処理することは不可能
- たとえばカジノで起こった暴行や傷害、窃盗事件などを州警察に持って行ったとしてもなかなか事件化してもらえない（かもしれない）。そうすると被害者から「そのカジノはトラブルに巻き込まれても何もしてくれなかった、もう行かない」など吹聴されてレピュテーションリスクが高くなる
- それを解決する方法の一つが自前の警察を持つこと
- 日本では警察をはじめ、限られた捜査機関しか捜査できず検察官へ事件を送致できないが、アメリカではそれぞれの警察が捜査し、事件を検察へ送致する権限を持っている

・つまり、自分のところ（学校や病院、カジノ単位）でお金を出して警察官を雇う、そうすることで何らかの事件が起きたときに「州警察や市警察に捜査をお願いしてもなかなか事件化してもらえない」といった不満がなくなる、アメリカらしい極めて合理的な考え方である

この話を聞いたときに「なるほど！」と非常に腹落ちしました。私たちは、警視庁を退職して民間企業で働いていますが、まさにそれと同じようなことを日々感じており、この本を執筆する原点となったこととピッタリ一致したからです。

私たちは前職が警察官だったというだけで、今は捜査できませんし、検察へ送致する権限も持ち合わせていません。しかし、起こった事案に対し何をどうすればよいか、どこからどのように手を付けたらよいか見当がつかず困っている人と警察との橋渡し役として、十分活躍できる場があることを、身を持って体験しています。

今の私たちのポジションは、アメリカでいうところの細分化された警察なのかもしれません。

インシデント5-2 令状による差押えとは

◆ガサ入れの舞台裏

警察が企業に情報開示を求める場合、前述の捜査関係事項照会書に加えて、令状による差押えを行うという方法があります。令状というのは裁判官が発付する法的強制力を持った書類で、代表的なものとしては逮捕状や捜索差押許可状（通称ガサ状）が挙げられます。

企業が令状による差押えを受けるというと、刑事がゾロゾロ入って来て警察の名前が書かれた大きな段ボールでいろいろ押収されるというイメージがあるかもしれませんが、この節でいう差押えは少し違います。

刑事が被疑者の家や職場にいきなり現れて部屋の中をガサ入れする場合は「捜索差押許可状」、すでに差押さえるものとその所在が明らかで捜索する必要がない場合は「差押許可状」というものに基づいて差押えをすることになるのですが、企業が捜査機関に協力する形で記録を出す場合は後者の方になります。

企業として警察が求めるデータは持っているものの、任意で回答すると法律に抵触する場合やプライバシー保護の度合いが高い情報などの開示を求められた場合は、「令状がなければ出しません」と警察に対して宣言することにより、差押えに切り替えることができます。

余談ですが、私がまだ駆け出しの刑事の頃に、新宿歌舞伎町の違法カジノ店の一斉摘発を行う際にお手伝い要員として呼ばれたことがありました。生活安全部の刑事十数人で怪しい店内に踏み込み、捜索差押許可状を店長に示し、鳩が豆鉄砲をくらったような表情をしている客をよそに捜索差押えを実施したのですが、事前の予想に反して押収物がかなり少なかったのです。

ガサが終わって店外に出る時にはマスコミがテレビカメラを持って待ち構えているのがわかっていましたので、

畳んだままの段ボールをそのまま持って出るのもカッコつかないなということで、見習い刑事の私は警視庁と書かれた空の大きな段ボール箱を「さも重そうに」運び出すという大役を仰せつかりました。このシーンは当時のニュース映像でも使われましたが、私としては30点くらいの演技でした。

◆閑話休題

企業における差押え対応についてですが、歌舞伎町の例とは違って、協力する立場の企業が差押許可状に基づいてデータを提供する場合は、事前に警察と日時場所を調整するなどして極めて平和に、事務的に進みます。最終的にデータを警察に提出するという点においては照会でも差押えでも変わらないのですが、どちらに基づいて情報を開示するのかというのは企業としての個人情報保護の姿勢に直結してくるものでして、後にユーザーや第三者から突っ込まれた場合にも耐え得るようにしておく必要があります。

【これが定番!】 プライバシーの度合いが高い情報は差押許可状によって開示。

インシデント5-3 照会と差押えどちらで応ずるべきか

◆照会がなければ捜査が始まらない

事業者には、警察をはじめ地方自治体、税務署などさまざまな公的機関や弁護士などから情報開示を求める依頼文書が届きます。地方自治法や国税徴収法、弁護士法を根拠とした問い合わせなど、警察官として働いていたときには考えたことがありませんでした。毎日勉強です……。

この節では、警察の捜査に対する事業者としての協力スタンスについて、その難しさや私たちの考えについて述べます。

警察の捜査は任意捜査が原則です。すべての事業者が任意で協力してくれるのであれば「捜査にご協力をお願いします」といって実施しなければなりません。ところが事業者目線で考えると、警察が情報を求めてきたからといって何でもかんでもホイホイと保有している情報を開示するわけにはいきません。有名なところでは「通信の秘密の保護」が憲法や電気通信事業法に定められています。事業者は、通信記録（いつ、誰が、誰に電話したなど）を開示してほしいと警察から依頼を受けても、任意である捜査関係事項照会書では対応せず、裁判官が発付した令状を求めることになります。そうしないと違反になってしまうのです。

もちろん事業者として、大事なユーザー情報を任意に開示するわけにはいかない、すべて裁判官の令状が必要だと守りを固めることは可能です。ウチは警察が任意に情報を出してくれと言っても絶対に出さない、鉄壁の情報管理を行っている企業ですと言えることはメリットの一つかもしれません。しかし令状とは、警察官が「出してください。お願いします」と裁判官にお願いしてすぐに発付されるものではありません。都度警察官が、①どのような捜査を行っているか、②なぜ必要なのか（事案解明に必要な情報だが、事業者が任意で開示できない、令状だと対応すると言っているから）との理由を書面で裁判官に説明する必要があるのです（当たり前と言えば当たり前なんですけど……）。

◆令状が出ない……

よって私たち事業者が、警察に対しあまりに強硬に令状を求めすぎると、まだどんな犯罪が起こったのかわかっていない警察官が裁判官に説明できず、令状請求を断念します。裁判官から「そんな曖昧な話だけで令状を発付できるわけないでしょ」と突き返されることが手に取るようにわかるからです。

その結果、捜査が進展せず皆さまの大事な顧客が被害に遭っても犯人が捕まらず、ユーザーから「警察が捜査できない、犯人が捕まらないってどういうこと？　そんな事業者のサービスって使えないよね。私たちのお金や情報が盗まれてもいいってこと？」となり利用者が離れてしまうという、自分で自分の首を絞める最悪の結果を招くことになってしまうのです。ですので、事業者はその時の社会情勢や機運を敏感に感じ取り、バランスよく対応しなければなりません。

この問題は、一事業者だけで解決・対応できる問題ではありません。一つの事例だけを殊更に取り上げて事業者や警察を糾弾する報道に踊らされることなく、事業者は何のために警察の捜査に協力するのか、真の目的は何かを常に念頭に置き、この答えの永遠に出ない課題について考え続けていく必要があるのです。

Best【ベストな方法】 その時々の社会情勢に応じた柔軟な対応を心掛ける。

コラム

「インターポールとユーロポール」

「ルパーン！　逮捕だ!!」でお馴染みの銭形警部。

日本からインターポールに出向中の銭形警部は、ルパン逮捕のためであれば世界中どこへでも飛んで行って捜査する権限を持っています。ルパンⅢ世以外にも刑事ドラマやアニメでたびたび登場するインターポールですが、その描かれ方はだいたい似ています。

インターポールは世界中に捜査権限を持つ警察組織のようなイメージが強いと思いますが、実際は少し違います。現実には捜査機関というよりもコーディネーション機関で、各国の捜査情報の橋渡しをしてくれるハブのような組織です。イメージしやすいところでは、たとえば国際指名手配はインターポールが各国警察の指名手配情報を集約、共有することによって実現しています。

実際の捜査活動はそれぞれの国の警察が行いますので、日本からインターポールに出向中の銭形警部がパリのルーブル美術館に現れるルパンを待ち伏せすることはありません。

しかし、たとえばルパンから日本の警察に「●月△日◎■時、ルーブル美術館のお宝をいただく　怪盗ルパン」というメッセージが届いたとしたら、インターポールを通じてフランスの警察に情報を提供することもあるでしょう。

もうひとつ、ユーロポールという組織がオランダのハーグにありまして、こちらはインターポールのEU版としてヨーロッパ各国の捜査協力のための組織となっており、国境を跨ぐ捜査には欠かせない役割を担っています。

私もある共同オペレーションの関係でユーロポールに行ったことがありますが、各国の捜査官が集まって犯罪者を捕まえるための作戦会議を行なっている様子は、まさに世界警察という雰囲気でした。

２０２２年春、警察庁にサイバー犯罪対策強化のための「サイバー警察局」、関東管区警察局に重大なサイバー犯罪捜査や国際捜査を行う「サイバー特別捜査隊」が発足しました。２０２３年夏には、警察庁がインターポールの要請を受け、インドネシア警察と協力して犯人を逮捕しています。このようなグローバルな検挙事例がどんどん出てくるかもしれません。

インシデント５-４　警察から防犯カメラ映像の提供を求められたら

◆事件は証言だけでは終わらない

「刑事さん、あの人が犯人です！　私この目で見たんです！」

「そうか、わかった！逮捕だ！」

これはドラマの中だけのお話です。実際には目撃証言だけで犯人を逮捕することはなかなかありません。なぜなら、目撃証言にはいくつもの不確実要素があるからです。もしかしたら見間違いかもしれませんし、見たのは本当でも記憶違いかもしれませんし、記憶は本当でも言い間違うかもしれませんし、先に他の人の証言を聞いてしまうと自分もそう思っていたはず、と記憶が上書きされてしまうこともあります。

よく「現場から走り去る不審な白い車が目撃されています」というような報道がありますが、これが流れたあとに周辺住民に聞き込みをすると「そう言えば白い不審な車が停まっていたような」などという人が次から次に出てきたりします（ちなみに日本国内の車の3台に1台は白です）。

そこで防犯カメラの出番です。犯罪捜査で防犯カメラは極めて重要な役割を果たします。犯行現場が映っている場合はもちろん、犯行前や犯行後の犯人の行動が映っているだけでも犯行時間の特定や逃走方向の特定に大いに役立ちます（これを ホシの前足(まえあし)、後足(あとあし)と言います）。

◆防犯カメラの威力

今の時代はドライブレコーダーや、事件現場に居合わせた人がスマートフォンで写真や動画を撮影してSNSに載せたりしたものも防犯カメラと同様に非常に有力な証拠となります。ここではあなたの会社に防犯カメラが設置されていて、そこに犯人が映っている可能性があるとの理由から、警察が防犯カメラ映像の提供を求めてきた場合について説明します。

自分の会社が被害にあっている場合は、捜査をお願いする立場として映像記録を提出することも可能ですが、自社にはまったく関係のない事件の場合――たとえば犯人が犯行の下見や犯行後に通ったかもしれないので協力してほしいと言われたらどうすれば良いのでしょうか。警察が任意の提供を求めてきた場合、提供するかどうかは会社側で判断して構わないのですが、経験上はどこの会社も「犯人を捕まえるためなら」という形で協力してくださいました。

記録を提供する方法としては、日時が最初からピンポイントで特定されている場合はそのシーンを画面に表示して刑事さんが写真を撮るというようなやり方もありますし、時間に幅がある場合は数時間分の動画データを提供するというやり方もあります。このあたりはシステムにもよりますので、実際に防犯カメラのデータを扱う権限を持っている方が刑事さんと直接やりとりするとスムーズです。ただ、一般的に防犯カメラ映像には犯人以外の人も映り込んでいる可能性があるわけですし、一定のプライバシー侵害に当たるかもしれないということも会社としては考えなければなりません。
したがって前述の「捜査関係事項照会書」を警察から出してもらうようにしましょう。そうすれば、刑事訴訟法で決められた手続きに基づいて情報を求められたため映像データを提供しましたという記録を残すことができます。なお、「今さっき通行人が何人も刺されて、犯人は今も凶器を持ったまま逃走している」というような、人命にかかわる緊急性が高い事件の場合、防犯カメラに映っている犯人の姿を今すぐ携帯電話で撮影させてほしい、と警察から依頼される場合があります。

これは、緊急配備中の警察官に犯人の映像を即座に展開し、一刻も早く犯人を逮捕するためです。

警察がその場ですぐに捜査関係事項照会書を用意して事業者に交付するというのはあまり現実的ではないのですが、このような場合は照会書によらずに映像を提供可能なケースもあります。

このような場合であっても、映像の提供に至った経緯や担当者の連絡先を、きちんと記録として会社に残しておくことが重要です。

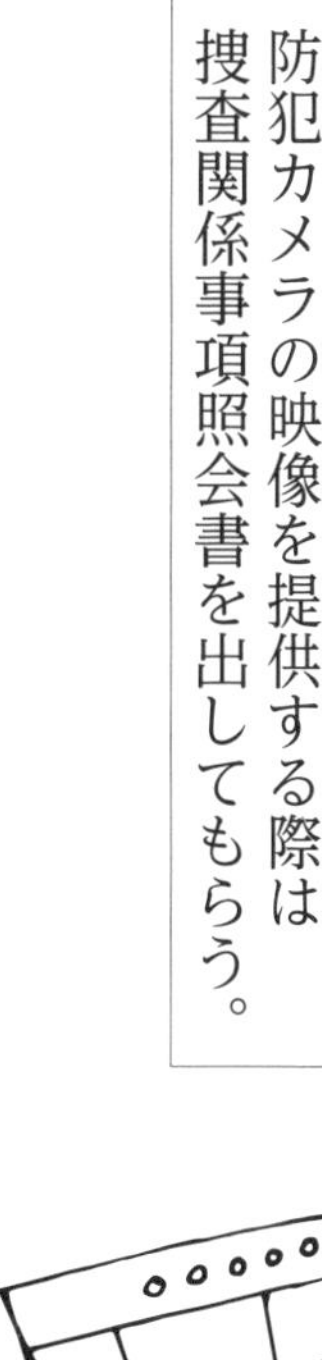

【次の一手】

防犯カメラの映像を提供する際は
捜査関係事項照会書を出してもらう。

コラム

「何事もバランスが必要です」

先日テレビで、あるコメンテーターが原発再稼働について激論を交わしているのを見かけました。詳しく覚えていませんが、過去の反省が足りないという意見と、これからの未来の話をすべきという意見だったと記憶しており、個人的にはどちらも正しいなぁと思ったしだいです。

昔、新宿歌舞伎町に数十台のカメラを付けることの是非について、大きな議論になりました。当時私は現役バリバリの警察官であり、「絶対に犯人を捕まえてやる」と思いながら休みも返上でとにかく走り回っていたので、犯罪者の特定につながる武器が増えることに何の違和感もありませんでした。

しかし警察を退職し、プライバシーを守る側となった今（捜査する警察官の気持ちは痛いほど理解するものの）遵守すべきルールや法律が厳然とある以上、捜査と関係ない情報をホイホイ捜査機関に開示するわけにはいかないと実感しています。もし私たち企業が情報を警察に開示したことが発端となって世間やマスコミから非難を受けるような事態になり、我々がいくら警察の照会に基づいて適切に回答したんだとていねいに説明しても、警察は「開示したのは企業の判断である」と、私たちのような事業者を守ってくれないからです。

「憲法は権力の暴走を止める役割なのだ、警察に権限を与えすぎるとあいつらは何をしでかすかわからない、捜査権の拡大は監視社会を作り出す」との意見がある一方で、個人を特定しなければ犯罪者は捕まらない、つまり「犯人はこの人物に間違いない」という確実な証拠を捜査機関が集められなければ訴追されず、裁判すら行われない現状を考えると、社会情勢をはじめさまざまな意見や見解、情報を日々キャッチアップして、バランスよく物事を判断する目を養わなければなりません。

ある特定分野のニュースばかり検索すると、似たような意見や自身が好みそうな記事、広告が頻繁に表示されることは皆さんも感じたことがあるのではないでしょうか。自分と同じような意見を無意識に集め、反対意見を見ないことにしたり、無視したりすることを、心理学では「確証バイアス」というそうです。

生成AIやインターネット上に蔓延るフェイク動画など、何が本当で何が嘘か一見しただけでは区別できない混沌とした時代だからこそ、誰かの意見を盲目的に信じて都合の悪い意見には耳を貸さないといった態度を取ることなく、時には耳の痛い話も受け入れてバランスよく物事を見ることのできる人間でありたいと思う今日この頃です。

インシデント5-5 警察から防犯カメラを設置させてほしいと言われたら

◆防犯カメラの設置にかかわる条件

警察は、被疑者の行動を確認するために防犯カメラを設置することがあります。その際、撮影したい場所の向かい側にたまたまあなたの会社があった場合に、会社の敷地内、あるいは建物内に防犯カメラを設置させてくださいというお願いをされる場合があるのです。

これは純粋に任意の捜査協力ということになりますので、依頼を許諾するか拒否するかは100％会社側の判断に委ねられています。会社として設置しても良いと判断した場合、まずは刑事さんが防犯カメラを設置する場所の下見をすることになります。

撮影したい方向との位置関係を見ながら、どの位置にどのような形で設置するのが効果的かを検討するのですが、その過程で「ここの会議室に置かせてもらうことはできますか？」「防犯カメラの電源用に部屋のコンセントをお借りすることは可能ですか？」などと聞かれることがあります。繰り返しになりますが、これはあくまでも任意での捜査協力（つまりボランティア）ですので、会社の業務に支障のない範囲内での協力でかまいませんし、決して無理をする必要はありません。

◆依頼文書を出してもらおう

詳細は割愛しますが、外からは気づかれないような形で設置されますので、カメラの存在がバレて相手に逆恨みされるのではといった心配は無用です。防犯カメラにかかる電気代を警察に請求することも可能ですが、1ヶ月で数十円程度の金額ですので、事務にかかる手間を考えるとあまり気にしなくてもよいでしょう。

ただ、何の書類もなしに警察の機材を社内に設置するというのもよくないので、警察に依頼文書を出してもらうのが良いと思います。

【これが定番！】

防犯カメラの設置依頼は任意。
協力する場合は依頼文書を出してもらう。

インシデント5-6 落とし物に関して警察から連絡が来たら

◆拾得物を警察に持ち込む日本の文化

日本には「落とし物を拾ったら警察に届ける」という文化がありますが、これは世界共通ではないようです。落とし物を拾ってそのまま自分のものにすると「窃盗罪」や「占有離脱物横領罪」という罪になってしまいますので、文化というよりは法律でもあるのですが、いずれにしても海外の人が一様に驚くのが日本の落とし物事情です。

警察は遺失物法に基づいて届けられた落とし物の持ち主を探して連絡をするのですが、たとえ落とし物の中に身分証明書が入っていたとしても、自宅の電話番号や本人の携帯電話番号が書いてあるということはあまりありません。

一方で、社員証や保険証、名刺等で会社がわかれば電話で連絡がつく場合が多いのです。したがって会社の代表電話等に警察から落とし物に関する連絡が来る場合があります。

この場合、落とし主の情報や引き取りに行くための手続きに関して警察が電話で説明してくれますので、それを落とし主の社員本人に伝えてあげれば大丈夫です。

ただし、社員証を落としてしまったということは会社にとってセキュリティ上の脅威となる場合もありますので、会社としては落としてしまった社員に対して再発防止の指導を行うことが適切でしょう。なお、大事なものを紛失した、心当たりを探しても見つからない場合は最寄りの交番又は警察署で「遺失届」という届出を出しましょう。

◆遺失届の活用方法

これは比較的簡単な書類でして、落としてしまったものの名称や特徴、落としてしまった大体の時間や場所、見つかった場合の連絡先電話番号等を記載するものです。警察は落とし物として届けられたものと遺失届の内容を照らし合わせて、マッチするものがあれば落とし主に連絡をする、という流れになります。遺失届を出していなくても前出のような形で警察が連絡先を探して連絡してくれる場合もありますが、遺失届を出しておいた方が早く連絡が来ます。

警察は、①遺失届の有無、②運転免許証や保険証、社員証など自ら調べることで連絡が付きやすいもの、③クレジットカードやポイントカードなど事業者に文書を送付して遺失者の連絡先について回答を得る必要があるものといった順番で落とし主を調査します。もし皆さんの大事なものが見当たらず、どこを探しても見つからない場合、心優しい見ず知らずの方が警察に届けてくれているかもしれません。最寄りの交番で結構ですので遺失届を提出しましょう。

【ベストな方法】

> 落とし物をしたら交番で遺失届を出す。
> 見つかった連絡が来たら指示に従って取りに行く。

インシデント5-7

海外の警察から問合せが来たら

◆日本国内では海外の法律は無効です

ここまで読んでいただいた方は、日本の捜査機関から●●事件について問い合わせたい、ここに設置された防犯カメラは誰が管理しているか、こんな情報を持っているか、調書や被害届を提出してほしい……という照会や差押えについては、何となくイメージできるようになったかもしれません。

しかし、外国の捜査機関から突然会社のＨＰの公開アドレスやお問い合わせフォームに英語で問い合わせが来たらどうしますか？　もしかしたらBusiness Email Compromise（ＢＥＣ）やランサムウェア（後述）など、今流行りの詐欺や脅迫かもしれません。万が一本物の捜査機関であっても、いきなり英語で長々と記載された文章を見て、どう対応してよいか迷うこともあるのではないでしょうか。

結論から言うと、一切対応する必要はありません。皆さんの企業は日本国内にあり、日本の法律に基づいて対応するだけで良いからです。外国警察の照会に回答する義務はありません。届いたら管轄の警察署に問い合わせてください。

◆サイバー犯罪の場合はどうすべきか

世界中がインターネットでつながっている今の時代、警察の捜査、特にサイバー犯罪捜査においては外国捜査機関との協力が不可欠です。そのために日本には、外国から要請があった場合に適切に協力する手続き等を定めた「国際捜査共助等に関する法律」が制定されています。

とはいえ、言語をはじめ法律、捜査手法がまったく異なる外国との調整は一筋縄ではいきません。ある国では通信記録を保全することがまったく認められていない（つまりログがない）代わりに比較的容易に通信を傍受することが認められていますし、またある国では、アンダーカバーと呼ばれる潜入捜査を合法的に実施することができます。国際捜査に慣れている捜査員は、決して一企業にメールを送ることはありません。慣れていない捜査員ほど、「自分の国では当たり前だから日本もできるよね、当然情報を持ってるよね？」と突然メールを送ってくるのです。

もしそのようなメールや問い合わせがあっても落ち着いて対応してください。遠慮なく警察を頼ってください。ただし、国際捜査は本当に時間がかかります。長いと数ヵ月から1年以上かかる場合があるため、待てど暮らせど警察から正式な問い合わせがないということも十分にあり得ます。気長に待っていただいてもよいですし、警察に「いつ届くかわからない文書を待つこと自体プレッシャーなので期限を切りたい」など申し出ることも有効です。

【考え方を変えよう】

外国から情報開示を求めるメールが突然届いても対応する必要はない。すぐに地元の警察署に届け出る。

第6章

サイバー犯罪編

インシデント6-1

会社をサイバー犯罪から守るために

◆盗みの方法も目的も大きく変化する現代

前章までに会社で起こり得るさまざまな犯罪について説明してきましたが、会社を守るという観点ではサイバー犯罪への対策も忘れてはなりません。

インターネット黎明期のサイバー犯罪は、どちらかというと愉快犯的なものや自分の能力を誇示するためのハッキングが多かったのですが、今はお金目当てと思ってほぼ間違いないでしょう。また、昔は夜な夜な会社に泥棒に入られて金庫の中から現金や重要な書類を盗まれるという被害がそれなりの数ありましたが、今はだいぶ少なくなりました。これはもちろん防犯カメラや侵入感知センサー等の普及による効果もありますが、そもそも会社の中に現金や紙の書類を保管することが少なくなってきたという背景もあると思います。

今の時代は、物理的に会社に侵入されるよりもネットワーク経由で会社のパソコンに侵入される危険性のほうが高いかもしれません。そうすると、社内のパソコンやサーバーにも防犯カメラや侵入感知センサーに該当するものが必要になります。これがウイルス対策ソフトウェアであったり、統合的なセキュリティシステムであったりするわけです。

◆電子データの保護に正解なし

最近では、外から狙われる犯罪だけではなく、社内関係者の故意または過失による情報漏洩等の情報セキュリティインシデントにも気を付ける必要があります。

たとえばUSBメモリ等による情報の持ち出しを防止するためには、外部記録媒体への書き出し権限に制限をかけたり、業務上どうしても書き出しが必要な場合はいつ誰がどんな情報を書き出したのかが記録されたりするようにしておく必要があります。

またUSBメモリへの書き出しだけでなく、メールによる外部送信やクラウド上のストレージサービスへのアップロードについても同様に対策を講じておく必要があります。

しかし、今の時代はBYOD（Bring Your Own Device）というワークスタイルで個人のスマートフォンやタブレット、ノートパソコン等を仕事に使えるようにする企業も増えてきており、会社の情報の移転にきっちりと制限をかけることは難しくなってきています。

「会社の情報を持ち出すことはいっさい認めん！　システムでガチガチに制限をかけろ！」というのは簡単なのですが、セキュリティを高めれば高めるほどAvailability（可用性）は下がり、本来やるべき作業ができなくなるなど業務に支障が出てきます。この匙加減は本当に難しく、会社によっても業種によってもまちまちであり、ズバリこれが正解というものはありません。

【これが定番！】　一般的な犯罪だけでなくサイバー犯罪への対策も大切。

インシデント６-２ 会社のパソコンやサーバーがウイルスに感染した場合

◆コンピュータウイルスは感染損

パソコンをウイルスに感染させる行為は、不正指令電磁的記録供用罪（通称ウイルス罪）という罪になります。会社のパソコンやサーバーがウイルスに感染してしまった場合、このウイルス罪で犯人を捕まえるために証拠を保全してすぐに警察に通報し、その間業務をすべて止めて……ということも否定はしませんが、私としてはお勧めしません。

なぜなら、ウイルスを送り込んできた犯人を捕まえても会社としての被害は回復しないからです。

会社の物品が盗まれたのであれば、警察が犯人を捕まえることによって被害品を取り戻すことができる可能性があります。しかし、ウイルスによってデータが破損して業務が妨害されたり、システムを修復するために費用が掛かったりしても、犯人はその損害を回復することはできません。民事訴訟を起こして損害賠償金を支払わせることによってその被害を補填するという方法もありますが、私の経験上サイバー犯罪者でお金持ちの人はいません。つまり、会社としては完全にやられ損になる可能性が極めて高いのです。

◆まずはウイルス対策ソフト導入

基本的な対策は、ウイルス対策ソフトウェアを導入し、それを常にアップデートして最新の状態にしておくというものです。これはインフルエンザや新型コロナウイルスに罹患しないようにあらかじめワクチンを打っておくのに似ています。しかし、ワクチンを打ってもウイルスの型が新しくなると対応できないというのと同じで、ウイルス対策ソフトウェアもインストールしただけでは最新のウイルスには対応できないので、常に最新の状態にアップデートしておく必要があります（このあたりのセキュリティ対策の詳細につきましては専門書や専門サイトを参照ください）。

万一社内のシステムがウイルスに感染した場合、サイバーセキュリティについてよく知らない人から見ると「なぜウイルスに感染したんだ。セキュリティチームは何をやっていたんだ」という気持ちになるかもしれません。

昨日まで当たり前に使えていたシステムが使えなくなり、業務に多大な支障が出て、「どうしてくれるんだ。セキュリティの責任者出てこい！」と言いたくなるかもしれません。もちろん、事が起きてしまった以上は誰かに責任を取らせなければいけないというのもわかるのですが、皆さんは何も起きていない時にセキュリティの担当者に感謝したことはありますか？

今の時代は、攻撃を受けていないシステムというものはまず存在しません。皆さんが何も起きていないと思っている裏では日々セキュリティ上の問題が発生し、セキュリティの担当者がそのひとつひとつに対応し続けていたからこそ、昨日まで問題なくシステムを使えていたのです。これは本当に素晴らしいことです。社内のできるだけ多くの人がそのことを理解し、セキュリティに対する意識を高めることこそが会社のセキュリティを強化することにつながるのではないでしょうか。

【ベストな方法】

ウイルスに感染したらやられ損。
基本のセキュリティを徹底するしかない。

コラム

「奴らをunprofitableにしてやれ」

私は以前警視庁からアメリカのカーネギーメロン大学のCylab（サイラボ）という研究機関に派遣されていたことがあります。ここでは客員研究員として2年間、サイバー犯罪捜査のための新しい技術に関する研究を行っていました。

このCylabには世界中からサイバーセキュリティに関する研究者が集まっていて、彼らの尖った研究や知見は私の知的好奇心を大きく刺激してくれました。来る日も来る日も、どうやったら悪質なサイバー犯罪者を捕まえてギャフンと言わせられるかばかりを考え、論文やレポートを読み漁ったりしていましたが、なかなかこれという答えは見つかりません。

ある日、Cylabの中の定例ミーティングで私の悩みについてみんなに相談してみました。普通に捜査しても捕まえられないサイバー犯罪者をどうしても捕まえたい。何かいいアイデアない？と。その時に、ハンガリーの研究者がこう言ったのです。「お前の言うサイバー犯罪者って、もし捕まっても刑務所に何十年も入るわけじゃないんだろ？ということは苦労して捕まえたってすぐ出てきてまた同じことをするわけだろ？だったら捕まえたって意味ないじゃん」

いやいや、警察は捕まえるのが仕事だから、と反論しようと思ったのですが、その研究者は続けてこう言いました。

「だったら奴らをUnprofitableにしてやればいいんじゃないの？」

Unprofitableというのはprofit（利益）が出ないと言うことを意味します。つまり、その犯罪を行っても儲からない、割に合わないという状態にしてやることが大事だと言うのです。なんと素晴らしいアイデアだ!!　私はそう感じました。そうです。警察は犯人を捕まえることばかりがクローズアップされますが、犯罪が起きない世の中を作ることも重要な仕事なのです。

サイバー犯罪が起きないようにするには、犯人にとって手間が増えたり時間がかかったりして結局コスパが悪い、儲からない、という状態にしてやることが重要なのです。

ところで、警察官ならだれでも知っている言葉に、「検挙に勝る防犯なし」という言葉があります。

これはたとえば特定の地域で連続して放火事件が起きているような場合に、火の用心パトロールを毎晩やるよりも、その放火犯を捕まえたほうが早い、という意味です。

しかし、この理論は残念ながらサイバー犯罪には通用しません。

サイバー犯罪による被害を減らすためには、たとえば同じIPアドレスからの連続したログイン試行には一定の制限をかけたり、Botによる振る舞いを検知して「reject したり、新規の端末では決済金額の上限を低く設定したりといった細かなチューニングをすることによって、サイバー犯罪者にとって「本気でやろうと思えばできなくはないけど、システムに弾かれないようにするにはいろいろめんどくさいんだよなぁ……あれ？ もしかして普通にバイトしたほうが楽に稼げるんじゃないの⁉」という状態にしてやることが最も理想的なのです。

奴らを Unprofitable にしてやれ。いいじゃないですか。私はこの考え方が大好きです。

インシデント6-3 ランサムウェアに感染した場合

◆データの身代金を払えときたら?

「ランサムウェア」とはいわゆるコンピュータウイルスの一種で、感染するとディスク上のファイル(データ)を強制的に暗号化することによって業務を妨害するものです。そして犯人からファイルを元に戻してほしければお金を払え、と脅迫されることになります。「ランサム」とは身代金の意味で、人質を取った誘拐犯がお金を要求してくるのと構図的には似ています。

一般的なランサムウェアは、ファイルを暗号化して人質に取ったあと、いつまでにこの金額をビットコインで払えという内容のポップアップを出したり、あるいはチャットやメールでコンタクトするよう要求してきます。この要求に応じなかった場合、暗号化されたファイルは永久に暗号化されたままになり誰も読めない、つまり使えないものになってしまいます。

常にファイルのバックアップを取っていれば、手間はかかるものの犯人の要求に応じることなくファイルを復旧し、業務を再開できるかもしれません。しかし「暗号化すると同時にファイルをすべて盗み出した。これをすべてネット上に公開してやる」という形で脅迫される場合もあります(これを二重脅迫と言います)。

本当に重要なファイルが犯人の手に渡ってしまったかどうかを確かめるのは容易ではありませんが、勝手に暗号化できるだけの権限を入手されてしまったことを考えれば、会社としては重要ファイルが犯人側に転送されてしまったという前提で対応せざるを得ません。

したがいまして、バックアップさえあればランサムウェアに対して万全ということではありません。

◆ランサムウェアのベストな対処方法とは

では、犯人の求めに応じてお金を支払った場合はどうなるのでしょうか。

ベストケースは、復号（暗号を解除）するためのキーが送られてきて無事に復旧できる、というものです。ワーストケースは、お金を払ったのに復号キーは送られて来ず、さらに金銭を要求され、それが延々と繰り返されるというものです。

このどちらになるかは犯人の胸先三寸で決まるものですし、たとえどのような理由があろうとも犯罪者にお金を渡したという事実は社会に対して胸を張って言えることではなく、この事実が明るみになれば強烈な非難を受けることになってもしかたありません。

本節冒頭で「誘拐犯に人質を取られた状態と似ている」という話をしましたが、実はひとつ決定的に異なる点があります。

人質の場合は身代金を払って解放されればひとまず安心ですが、ランサムウェアの場合、お金を払って復号できたとしても犯罪者側の手に渡ったデータが消えてなくなるわけではないのです。

海外のサイバー犯罪捜査官から聞いた話ですが、過去にランサムウェアの犯人を逮捕してパソコン等を差し押さえた際に、すでにお金を支払った企業のデータも消されることなくそのまま残されていたとのこと。――まぁ、そりゃそうですよね。

ということは、犯人はお金が欲しくなったらいつでもそのデータを公表するぞと言って再度脅しをかけることができるわけです。犯人から見れば、一度お金を払ってくれた企業は再度お金を払ってくれる可能性が高いわけですし、拒否されたところで犯人側に不利益は何一つありませんので、だったらもう一度ふっかけてみるか、という気持ちになるのは当然です。ここまでの話で、ランサムウェアの犯人にお金を払っても何の解決にもならないということがおわかりいただけたと思います。

こうした事情を考えると、ランサムウェアにやられないようにしっかりとしたセキュリティを確保することと、重要データのバックアップを安全な形でとっておくという基本を徹底するしかありません。また、ランサムウェアにやられましたと警察に通報しても、警察がシステムの復旧をしてくれるわけではありません。

ここまで暗い話ばかりが続きましたが、捜査機関も黙って指をくわえているだけではありません。2016年に、オランダ警察とユーロポール、カスペルスキーとマカフィーが主導し、ランサムウェアの被害者が犯罪者に不当な支払いをすることなく、暗号化されたデータを取り戻すための支援を目的とした「ノーモアランサムプロジェクト」が創設されました。このプロジェクトが設けているサイトを使って、運が良ければ無償で復号できます。セキュリティベンダーをはじめ各国捜査機関も協力しています(もちろん日本も参画しています)。万が一のときのために覚えておいていただけるとよいでしょう。

【考え方を変えよう】

ランサムウェアの犯人にお金を払っても事態は解決しない。基本のセキュリティとバックアップを徹底する。

インシデント6-4 偽サイトとフィッシングサイト

◆受け付ける部署が違うことに注意

皆さん、偽サイトとフィッシングサイトの違いはご存じですか？　同じ意味で使われている場合もありますが、警察では次のように分けて対応しています。

●偽サイト

……実在する企業のホームページやまったく架空のショッピングサイトを装い詐欺行為を働くサイト。警察に寄せられる相談の多くは、▲▲サイトで商品を購入し、口座にお金を振り込んだが品物が届かないというものです。金銭的な被害に遭っており刑事課が担当することが多く、いつ、どのような被害に遭ったのかなど書面での提出を求められることが多いです。指示されたものを粛々と準備しましょう。

●フィッシングサイト

……IDやパスワードなどのユーザーのアカウント情報やクレジットカード情報を入力させるサイト。あなたのアカウントが乗っ取られているので情報を更新する必要があると書かれた通知や、金融機関や大手ショッピングサイトを騙り、○○からのお知らせですといった内容のメールが届くことが多いです。記載されているリンクにアクセスするよう求められ、打ち込んだ情報が犯人に筒抜けになってしまいます。サイバー犯罪捜査を担当する生活安全課が担当することが多く、被害にあわないよう対策面のアドバイスを受けることができます。

　どちらも偽物のサイトではあるのですが、警察ではこのように対応する部署が異なるため、「何で刑事課じゃないの？」などとならないよう頭の片隅に置いておいていただけるとよいでしょう。

◆もしも自社サイトの偽物をみつけたら

　サイバー犯罪対策課で勤務していたある日、「自社そっくりの偽サイトが見つかった、どう対応したらよいか」という相談を受けたことがあります。これが極めて特殊でして、まったく瓜二つのサイトなのですが、偽サイトのように商品を売っているわけでもなく、フィッシングサイトのようにアカウント情報を入力させるものでありませんでした。IPアドレスを調べると縁もゆかりもない外国の通信事業者名が出てくるだけです。いろいろと調査しましたが、結局その外国の通信事業者へサイトを削除するよう依頼し、JP-CERTに通報して終わりました。
　もしかしたらその会社がターゲットになっていたのかもしれませんし、WordPressなどの脆弱性を突かれてお試しで作られただけかもしれませんが、こういった場合でも躊躇せず警察に届け出ましょう。

【考え方を変えよう】

警察の中での偽サイトとフィッシングサイトは明確に分けられています。

コラム

「ニューヨーク市警」

私がニューヨーク市警に派遣されていた時に、薬物の潜入捜査官のための研修を現地の警察官と一緒に受ける機会がありました。

座学では薬物取引の実例や犯罪組織の実態を学ぶのですが、教官は全員元おとり捜査官で、実際に麻薬組織に潜入していた時の興味深いエピソードを話してくれました。残念ながら潜入中に殉職してしまった同僚もいたそうで、その教訓に基づくアドバイスも含めて非常に迫力のある貴重な講義でした。また、実践訓練では模擬市街地での銃撃戦や、マフィアのアジトへの突入訓練も行いました。

訓練用のペイント弾を使うのですが、銃は本物で弾の先端がチョークの塊のようになっているだけです。当たると結構痛いので、全身にプロテクターを着けた状態で訓練を実施します。犯人役も警察官でバンバン撃ってきますので、遮蔽物を使って身を隠しながら銃で狙うのですが、なかなか映画のようにはいかず、1ラウンドめでは見事に右膝を撃たれてしまいました。銃で撃たれる経験というのはなかなかショッキングです。教官がすかさず「うまく隠れながら撃っていたつもりだろうが、膝が丸見えだったぞ。もっとしっかり身を隠して。射撃の腕は悪くないから、姿勢を安定させれば次は必ず当たるぞ。Good Luck!」とアドバイスしてくれました。他の捜査官の訓練を見ながら何度もイメージトレーニングし、2ラウンドめで私は1発も被弾せず、相手に3発撃ち込んでやりました。しかし、実際の現場に2ラウンドめはないのです。膝を撃たれた私はそれ以上動くことができず、そのまま蜂の巣にされていたかもしれません。マフィアと銃撃戦になって殉職した潜入捜査官の話を思い出し、訓練って本当に大切だなとあらためて感じました。

インシデント6-5 メールで爆破予告や殺害予告があった場合

◆会社問い合わせフォームで犯行予告が来た

「会社の敷地内に爆弾をしかけた」
「明日の午前9時に社員を刺し殺す」

メールやWebのお問い合わせフォームでこのような犯行予告が来ることがあります。一般的な会社にとっては滅多にあるものではありませんが、実はこのような犯行予告は日本のどこかで毎日のように起きています。私も警察官として数えきれないくらいの犯行予告事案を扱ってきましたし、爆弾処理班にもいたことがありますので何度も現場に出動しました。まことにけしからんことではありますが、これが現実なのです。

さて、ここでひとつ考えてみましょう。犯人の目的は何でしょうか。

爆弾を爆発させること？　人を殺すこと？

違います。**答えは「イベントを中止させること」か「誰かを不安にさせること」で、しょうもない優越感に浸ることです。**本当に爆弾を爆発させたいのであれば、誰にも言わずにこっそりしかけてその場を離れ、5分後に爆発させれば良いのです。本当に人を殺したいのであれば、警戒されないうちに近づいて刺せば良いのです。これを声高らかに予告してから実行に移そうとすると成功確率は下がり、逆に警察に捕まる可能性は高まることになります。犯人にとって、予告をしてから犯行を行うメリットは皆無なのです。

◆犯行予告への対処方法

さて、犯行予告を認知した私たちはどうするべきでしょうか。答えとしては「過度な対応は不要」です。必要最低限の対応のみに留めて問題ありません。会社の警備員や防災センター等に連絡して、念のため管轄の警察署に電話をして警戒の強化を依頼するだけで大丈夫です。会社を封鎖したりイベントを中止したりする必要はありません。

もし予告してきた人のアカウント情報やＩＰアドレスなどから犯人を特定できる可能性があれば、証拠となるログを印刷して警察に届け出るというのもありですが、基本はスルーしてかまいません。犯行予告は警察にとって良くも悪くも日常茶飯事であって、とてもすべてを捜査することなどできませんので、何度も何度もしつこく犯行予告を行なってくるような場合を除き、届け出ても犯人が逮捕される可能性は低いです。

もちろん、予告をしたうえで実際に犯行を行う可能性は完全にゼロとは言い切れませんので、思いつく限りの対処をしたほうがいいのではないかという作用が働くことは理解できます。私としても、著者として万が一何かあったらどうしよう、責任を取りたくないという思いを前面に出すと「念のため建物を封鎖して」とか「万一のことを考えてイベントを中止して」というようなことを書かなければなりません。しかし、それではメールひとつでいとも簡単に社会を操ることができるという前例を積み重ねることになってしまい、犯人側を利することとなってしまいます。このような事例を作ることは、もはやテロに屈してテロリストの要求を飲むことに等しい行為だと私は考えています。

◆犯行予告に踊らされない

ここでハッキリと申し上げておきます。私の経験上、犯行予告が行われてから実際にその犯行が行われたことは一度たりともありません。

大丈夫です。本当に爆破する気があったらもうとっくに爆破されています。繰り返しになりますが、犯人にとって予告をしてから犯行を行うメリットは皆無です。やるつもりがないから予告をするのです。

会社の対応としては「警備員に連絡」「警察に電話して警戒の強化を依頼」という極めてシンプルかつ形式的なアクションを取っておけば十分です。

重要なことなのでもう一度言います。私が警察官として実際に扱ってきた数多くの犯行予告事案のうち、実際に犯行が行われたものは1件もありません。私の元同僚たちに聞いても誰一人として実際に行われた事例を聞いたことはありません。

【ベストな方法】

> 会社として必要最小限のアクションを取っておけばあれもこれも対応する必要はない。これまでの経験上、爆破予告や犯行予告のあと実際に犯行がなされたことはない。

インシデント6-6 BEC（ビジネスメール詐欺）

◆BEC詐欺って何？

BEC（Business E-mail Compromise）と呼ばれる犯罪の手口があります。Compromiseは一般的には「妥協」と訳されますが、サイバー犯罪の世界では「危険に晒された」というような意味を持つことがあります。BECは簡単に言うと「企業を対象としたオレオレ詐欺」で、日本語ではわかりやすくビジネスメール詐欺と訳されることが多いようです。

代表的な手口としては、海外の取引先や自社の経営者等になりすまして、取引先が変わったなどの理由で振込先変更を指示するメールを送り、騙された担当者が犯人の用意した口座に振り込んでしまう、というものです。要するに振込先を変えさせようとするということなので、比較的簡単に見破れそうな気がしてしまうかもしれませんが、BECはそんなに単純なものではありません。

◆BECの実態と対応方法

犯人はウイルスやハッキング、人を騙すソーシャルエンジニアリングといった手法によって会社のメールを乗っ取ったり、経営層の使用するアカウントとよく似たメールアドレスを使って連絡してきたりしますが、それですぐに「振込先を変更してください」などと言ってくることはありません。数週間から数ヵ月にも渡ってメールのやりとりを分析し、会社と取引先との関係や社内の部署名、役職者の名前、取引の内容等をつぶさに調べます。また、ネット上の公開情報やSNS等も駆使してさらに状況を分析して、誰に対してどのタイミングでどのような内容の騙しメールを送るのが最も効果的かを見極めています。

本来とは違う口座に振り込ませるということはいつもの口座に入金がないことになり、遅からず誰かが気づくことになり、犯人からするとその会社を騙せるのは1回だけということになります。つまり毎月あるような比較的少額の振り込みを狙うよりも、たまにしかない大きな額の振り込みを狙ったほうが、儲けが大きいということになります。海外の事例ですと、ジェット燃料の契約やタンカー1隻の購入など、数億円~数十億円クラスの取引が狙われたこともあります。

企業としては、社内システムのセキュリティを強化することによってBECを防げるような気がしてしまうかもしれませんが、基本的には犯人からメールで新しい振込先を伝達されるだけですので、メールを読む人が騙されたら終わりです。自社のシステムがいかに強固であっても意味がありません。そうした理由から、振込先が変更になる際は、必ず複数の担当者のチェックを必要とするルールを設定したり、取引先にはメール以外の連絡方法、たとえば電話等の別手段を使ってあらためて先方に確認をしたりする、といったアナログな手段で対策をする必要があります。

経験上、日本企業同士の取引でBEC詐欺被害に遭ったという話は聞いたことがありません。よって、海外の取引先を担当している社員、特に高額の振り込みに携わる社員には、BECの手口や過去の事例を知っておいていただいたほうがいいでしょう。

【これが定番!】 大金の振込先が急に変わる時は別の連絡手段で再確認。

インシデント6-7 本当の情報共有って何？

◆情報共有のメリットとデメリット

「情報共有しろ、情報共有が大事」って皆さんよく聞きませんか？ はい、私も異存ありません。でも、本当の情報共有って皆さんできていますか？

今回この本を書くことになった動機のひとつに、会社にとってマイナスの事象というのがまったく共有されていないと感じたことがあります。それだけ情報管理が徹底されており、ある意味素晴らしいことではあるのですが、これが行き過ぎると誤った取扱いが脈々と引き継がれてもっと良い対処法があることに誰も気づかないだけでなく、すでに同業他社が似たような失敗を犯しているのに同じ轍を踏んでしまいます（同じ失敗を繰り返していること自体に気づかないという悪循環も）。皆さん頭では情報共有が大事だとわかっているのです。ただ教えてもらいたいけど自らの恥部はさらけ出したくないと思っているのです。

この点、外国は進んでいます。各国法執行機関のサイバー捜査官や事業者の集まる国際会議において、驚くほど積極的に自らの成功／失敗事例が共有されています。彼らは情報が洩れるデメリットと自身が失敗例をさらけ出すことでさらなる情報を手に入れることのできるメリットを天秤にかけて、後者を選択しているのです。

◆名刺交換よりも情報交換

ある国の捜査官から、日本人に声を掛けられたけど、名刺を交換したらどこかに行ってしまったという話を聞いたことがあります。本当の目的は自身が困っていることや聞きたいことをどんどん情報交換して今後に活かすことであり、名刺を集めることではないのですけど。

テクノロジーの発展は素晴らしいものがありますが、やはり最後は人と人とのつながりです。信用できる人間関係を築き、困ったことや相談したいことをできる限り具体的にやりとりをすることで、さまざまな角度から物事をとらえることができるようになりますし、思いもつかないアイデアが閃くことがあるのです。

◆失敗を恐れず、大切なものを守るには

ある陸上選手が、「何かあったらどうするんだ病に日本は侵されている」とSNSで発信していましたが、私も本当にそう思います。新しいことをやれば絶対に何かあるんです。やる前からあーでもない、こーでもないとマイナスのことばかり考えて結局やらないというのが一番もったいないですし残念です。

会社には、もちろん競合他社と切磋琢磨しなければならない部署もありますが、外部の攻撃や犯罪から身を守る部署をはじめ人事や総務など、思った以上に他社と共通の価値観を持ち、同じ方向を向いて戦うべき部署というのが多くあることに気づきました。

もちろん個人情報や機微な情報を安易に取り扱うことはご法度です。法律やルールを守ることが大前提ではありますが、まずは信頼できる人を探し、ＮＤＡ（秘密保持契約）を結び、そこで失敗談や相談したいことを思い切って発信してみませんか。予想以上の効果を感じるはずです。

【考え方を変えよう】

まずは一歩、あなたから。
本当の情報共有を進めると見える世界が変わります。

インシデント6-8

正しい情報とは何か考えてみませんか？

◆本当に正しい情報ってなんだろう？

私は警察官になっていろいろな事件に携わり、その中のいくつかはニュースとしてテレビや新聞、ネット記事等で報道されましたが、「本当はそうじゃないんだけどなぁ……」と思ったことが何度もありました。現場で起きたことと報道される内容の間には必ずギャップがあるのです。肝心なところが完全に抜けているものや、事実よりもかなり大袈裟に書かれているもの、事実とはまったく異なることがさも真実かのように書かれているものもありました。メディアというものはビジネスですので、いかにして多くの人々に見てもらうかが重要です。真実を正しく伝えるのが大切とはいえ、10のことを10と書いているメディアよりも12とか15くらいに書いてあるメディアの方が人々の注目を集め、結果的に儲かることになりますので、どうしても事実よりも脚色したくなるのは理解できます。ただ、芸能人のスキャンダルなどの場合は当事者が「事実と違う」と反論できる場合がありますが、事件捜査に関しては否定や修正をする人がいないのです。私も心の中では毎回「違う違う、そうじゃ、そうじゃない」と叫んでいましたが、守秘義務がありますのでそれを表に出すことはできませんでした。

◆セキュリティレポートも大事なところはぼかされる

サイバー犯罪の世界では、さまざまなセキュリティ企業が独自の研究によってサイバー犯罪者たちをグループ分けし、独自にグループ名をつけて「この●●というグループは▼▼という手口を得意とし、■■国の支援を受けて◎◎を狙って△△していると見られる」というレポートを出していますが、これらの説は真実なのかもしれませんし、真実ではないかもしれません。セキュリティ企業は決してその情報ソースを明かしませんので、先はどの事件報道と同じで誰も裏を取りようがないのです。唯一「違う、そうじゃない」と言えるのは当の犯人だけです。

私は以前、重大な国際サイバー犯罪捜査に携わり、その過程でアメリカのFBI（連邦捜査局）やイギリスのNCA（国家犯罪対策庁）との共同捜査も行い、ありとあらゆる法的強制力をもって世界中からかき集めた証拠を突き合わせて捜査していましたが、重要参考人を割り出すのが精一杯で、残念ながら犯人を特定することはできませんでした。ところがあるセキュリティ企業が発表したレポートでは、「この事件は◎◎国の■■というグループによる犯行と見られる」と明確に書いてありました。

不思議ですよね。どうしてそんなことが言えるのでしょう。しかもそのレポートが国際会議の場であたかも事実かのように話題に出されたことがありました。よく読めばこれらのレポートはすべて「▽▽と見られる」というような余白を残した書き方になっているのですが……。少なくとも、実際に捜査本部にいた私には「真実ではない」と言い切れる自信がありました。私はさまざまなニュースを目にするたびに「本当に正しい情報ってなんだろう？」と考えてしまいます。

【考え方を変えよう】

> あなたが目にする報道は正しいかもしれないし、正しくないかもしれない。

インシデント6-9

フィッシングサイトへの対抗策

◆フィッシングサイトの詐欺とは

フィッシング（phishing）の典型的な手口としては、メールでURLが送られてきて、それをクリックするとフィッシングサイトに飛び、本物のサイトと勘違いした人が個人情報やクレジットカード情報を入力してしまうというものです。

これをフィッシングメールの送信側の立場に立って考えてみましょう。犯罪者としては、ひとつでも多くの個人情報やクレジットカード情報を入手したいと考えています。そうすると、まずはメールを開封してもらうことが大切です。

よく使われる件名としては「重要なお知らせ」「お客様のアカウントに不正ログインがありました」「お客様のアカウントが停止されました」というようなものが挙げられます。ユーザーの目を引いて心配させて、とにかくメールを開かせようとします。そして、いろいろな理由をつけてメール内のURLをクリックさせて、フィッシングサイトに誘導しようとします。ここまでの段階でメールの受信者にこのメールが偽物だと気づかれてしまったら、その時点で作戦は失敗です。

◆フィッシングメールの詐欺手口の向上

では、どうすればユーザーにフィッシングメールだと気づかれる可能性を減らすことができるでしょうか。

方法のひとつとして挙げられるのは、実在する事業者と似たドメインを使用することです。たとえば、通販サイトのAmazonからのお知らせだと信じさせたい場合は、〝arnazon〟や〝amazom〟など、気をつけてよく見ないと間違えてしまうようなドメインを使う場合があります。

しかし、この手口は昔から使われているものですので、大手企業であれば自社ドメインに似た関連ドメインを事前に取得して第三者に勝手に使わせないような対応をとっていることもあります。

数年前までは、このドメインをしっかりチェックすることによってフィッシングであるかどうかを見極めるということが推奨されていましたが、フォントによっては「L」の小文字と数字の「1」の見分けがつかなかったり、文中に表示されているURLと実際に接続されるURLは必ずしも一致していなかったりします。このように、そもそも人の目で本物か偽物かをその都度判断することには限界があることから、今はフィッシングメールかどうかを見破ろうとしないことが推奨されています。つまり、メールに書かれているURLはいっさい信用しない方がいいということです。何かWeb上で手続きが必要であれば、メールに書かれているURLリンクをクリックするのではなく、正規のWebサイトから該当ページを探し出すというのが比較的安全な方法です。

◆だまされる手順とは

さて、不幸にしてフィッシングサイトであることに気づかずにURLをクリックしてしまった場合はどうなるのでしょうか。

ほとんどの場合はIDやパスワードなどのログイン情報の入力を求められ、続いてクレジットカード番号や有効期限、セキュリティコード、さらには氏名や住所、電話番号などの入力を求められます。

犯人側に立ってみると、せっかくユーザーに情報を入力させたのに、ユーザーが情報を送信したあとにすぐにフィッシングサイトであったことに気づいてしまうと、入手したパスワードを変更されたりクレジットカードを停止されたりしてしまいます。

ではどうするかというと、大きく分けて2つの方法があります。1つめとして、入力させたあとに読み込み中の画面を表示したままフリーズしたように見せたり、サーバーのエラーのような画面を出して時間を空けて再度トライしてくださいというようなメッセージを出したりする方法があります。これによって「サービス側のエラーかな？　まぁ、また後でやってみればいいや」と思わせて、そのまま忘れさせるという手口です。しかし、真面目に何度も何度もトライして、どうしてもつながらないのでサポートセンター等に問い合わせをするような方の場合は、最終的にフィッシングサイトであることに気づかれてしまう可能性があります。

そこで2つめの方法は、フィッシングサイトですべての情報を入力してボタンをクリックした時に、正規のサイトにリダイレクトさせるという方法です。フィッシングサイトがこのような仕組みになっていた場合、騙された人は求められた情報を入力してボタンを押したのにまた同じようなサイトに飛ばされてしまいますが、何かのエラーかなと思ってもう一度入力すれば正規のサイトにログインできることになりますので、よくわからないけどログインできたし特に異常はないからこのままでいいか、とそのまま見過ごしてしまうこととなります。

犯罪者はこのようにしてIDパスワード等のログイン情報やクレジットカード情報を収集して、自らそれを使って商品を購入してマネタイズしたり、後述のCarding siteでカード情報を販売して金銭を得たりするのです。

◆フィッシングサイトへの対抗策

フィッシングサイトをなくすにはどうすれば良いのでしょうか。私はこの問題について10年以上考えてきましたが、いまだに特効薬はないというのが結論です。しかし、何もせずに放置しておくと被害はどんどん増えますので、やれることはしっかりやるというのも大切だと思います。具体的には以下のような対抗策です。

●その1「フィッシングサイトを落とす」

フィッシングサイトが掲載されているサーバーの管理者に連絡して、サイトをテイクダウンしてもらいます。

JP-CERT（Computer Emergency Response Team）やフィッシング対策協議会のようなサイトに通報の窓口がありますので、そこに通報することでサイトを閉鎖してもらうことができる場合があります。しかし、通報してから実際にサイトがダウンするまでに数時間から数日、あるいはそれ以上のタイムラグがあるのと、サーバーがある場所によっては対応不可能な場合があることに注意が必要です。

●その2「ブラウザでブロックする」

私たちがWebサイトを閲覧する時は、ブラウザというソフトウェアを使っています。代表的なものとしてGoogleのChrome、AppleのSafari、MicrosoftのEdgeなどが挙げられます。

これらのブラウザを提供している企業は、うちのブラウザは安心ですよ、だからうちのブラウザを使ってくださいと言うために、さまざまなセキュリティ機能を無料で提供しています。

その中の一つに、フィッシングサイトを自動的にブロックしてくれる機能があります。各社製品それぞれ独自の方法でフィッシングサイトのＵＲＬを収集してブロッキングリストを作成しています。ブラウザを提供する企業は、自社だけでフィッシングサイトを見つけることに限界があるため、一般ユーザーから通報を受け付けるシステムも設けていますので、皆さんも「あれ?……これって怪しいな」と思うサイトを発見したらどんどん通報しましょう。

前述のフィッシングサイトをテイクダウンする方法は、サーバーがある国がどこかによって有効性に差がありますが、ブラウザによるブロックはそのようなことがない上に、比較的短時間で対応がなされる場合が多いので効果は高いと言えるでしょう。

◆「木を隠すなら森の中」作戦

前記の二つは正攻法ですが、これはまったく違うアプローチになります。フィッシングサイトに対して、大量のダミーアカウントを自動プログラムで立て続けに入力することによって、どれが本当のアカウントかをわかりにくくする方法です。

犯人側から見ると、たとえば一つのフィッシングサイトから1日に1万件のアカウントが入手できたとしても、その99％が偽物というようなことが起こります。そうすると、実際にそれらのアカウントを使おうとしても使えないものばかりで困ってしまうことになります。まさに、木を隠すなら森の中ということです。

もちろん、犯人は入手したアカウントを正規のサイトでひとつひとつ検証していけばいつかは本物にたどり着くのですが、大手の商業サイトでは同じＩＰアドレスから連続して複数のアカウントへのログイン試行があった場合は不正とみなしてブロックする場合が多いです。それを回避するために犯人側はＩＰアドレスをこまめに変更する必要が出てくるなど、とにかく面倒なことになります。

このように、犯人側に手間をかけさせるというのは非常に大事で、要するに「やろうと思えばできなくはないけど、手間がかかって割に合わない」という状態を作り出すことにより、犯人側に諦めさせるというのもひとつの解決方法です。

◆リファラの活用

先ほどフィッシングサイトに関する説明の中で、すべての情報を入力させた後に正規のサイトにリダイレクトさせることによってフィッシングサイトであったことに気づかれにくくするという話をしました。実は、ここにはフィッシングサイト対策にとても重要なポイントが隠されています。

皆さんは「リファラ」というものをご存じでしょうか。これはインターネット上でさまざまなサイトを見に行く際に、その直前にどのサイトにいたかを教えてくれるものです。

たとえば皆さんの会社のホームページを訪問してくれたお客様が、どのサイトから来たのか気になるのではないでしょうか。

検索サイトで検索して見つけてくれたのか、Aというサイトに出していた広告をクリックして来てくれたのか、Bというサイトのリンクから来てくれたのか、それによってマーケティング戦略が変わってくることでしょう。

本来はそのような目的で開発されたリファラという機能ですが、先ほど説明したとおりフィッシングサイトで入力を完了したあと正規のサイトにリダイレクトするようになっていた場合、正規サイトの管理者はリファラをチェックすることによってフィッシングサイトのURLを知ることができてしまいます。

稼働中のフィッシングサイトは言うまでもありませんが、犯人がフィッシングサイトを作成中に機能テストのためにボタンをクリックして正規サイトに飛ぶかどうかを確認することもありますので、場合によっては作成中のフィッシングサイトを見つけることができる場合があります。運よく作成中のフィッシングサイトを発見できた場合、そのソースコードを注意深く見ていくと、機能テストのために埋め込まれた犯人のアカウント情報等を発見できる場合があるのです。

何か犯人につながるいい情報を見つけた際は、ぜひ警察に情報を提供してください。

【考え方を変えよう】

フィッシングサイトとの闘いは永遠の課題です……。

インシデント6-10

ネット上の闇世界「ダークウェブ」

◆裏のインターネット

一般的に誰でも見ることができるインターネット上の情報をSurface Webと言います。その下にDeep webと呼ばれる一定のアクセス制限を設けている情報があり、さらにその下にあるWeb空間をダークウェブ（Dark web）と言います。

ダークウェブは、その名前から連想されるとおり、主に悪いことに使われているインターネット空間です。サイバー犯罪者はIPアドレスから発信元を特定されてしまうことを知っています。ダークウェブはさまざまな理由によって警察が摘発できない、犯罪者にとって都合のいい場所ということになります。

◆Ｔｏｒによる匿名通信から防弾サーバーへの流れ

警察の捜査から逃れる手はいろいろありますが、たとえば2000年代に出てきたＴｏｒ（トーア）という技術があります。ＴｏｒはThe Onion Routerの略で、複数のサーバーを経由しつつその経路も暗号化することによって発信元を隠蔽する通信方式です（匿名の情報通信技術とも言われています）。これは今も技術的には破られておらず、犯罪者にとって安全な通信方式となっていますが、デメリットは通信速度が遅いことと、一般的なユーザーには設定が難しいことです。

Ｔｏｒは匿名性が高いものの、ギークなサイバー犯罪者にとって通信速度の遅さはかなりのストレスになると思いますし、設定が複雑で一般ユーザーが使いにくい通信方式ということは、悪いものをたくさん売ろうとしてもお客さん自体があまり来てくれないということになりますので、現在はあまり利用されなくなってきている印象があります。現代においてＴｏｒよりも多く使われているのが防弾サーバーと呼ばれるものです。

◆防弾サーバーの仕組みとは

防弾と言っても厚い鉄板で覆われているサーバーと言うことではなく、ここで言う防弾の意味は「警察からの摘発を受けない」ということです。警察の摘発を受けないというのは、管理者が姿を隠して警察からの要請や裁判所の令状にいっさい対応しないという場合や、外交ルートや警察制度が充実していない極小国などのサーバーを使用している場合があります。また、犯罪によく利用されるような通信アプリケーションは、実際のデータを保管しているサーバーと、そのサーバーにアクセスする秘密鍵を別々の国に保管しており、その両方の国から令状が示されないと対応しない、つまり「我々は適法に事業運営を行っていますよ」と見せかけつつ、実質対応しないことをアピールポイントとしているところもあるのです。実にけしからんことです。

このようなサービスを使えば、サイバー犯罪者側も悪いものを買いたいお客さん側も面倒な設定変更等が必要ありませんので、現在はＴｏｒよりもこちらが使われることが多いようです。

なお、私は防弾サーバーを使っている犯罪者を一網打尽にするための特別作戦にＦＢＩをはじめとする世界各国警察との共同オペレーションに参加したことがありますが、その内容を公開することは今後の捜査活動に支障を来すことになりますので、ここでは割愛します。

【考え方を変えよう】 ネットの闇は深い。

インシデント6-11　クレジットカード情報の闇サイト

◆売り買いされているカード情報

インターネット上でクレジットカード情報を売っている悪いサイトのことをカーディングサイト（Carding site）と言います。サイバー犯罪者はさまざまな方法でクレジットカード情報を盗み出して、自分で使ったりカーディングサイトで販売したりしています。

このようなサイトはどのようにして見つければいいのでしょうか？　答えは簡単です。Googleで"Carding site"と検索するだけです。

なぜこんなに簡単に見つけられるかというと、犯罪者が知恵を絞って皆さんに見つけてもらおうと努力しているからです。SEO対策なども頑張っています。犯罪者と言えども商売人です。商品を売ってお客さんに買ってもらって初めてお金を稼ぐことができるのです。

カーディングサイトにはさまざまなタイプがありますが、共通して言えることは「お客さんに買ってもらいたい」という意欲が非常に高いということです。

インターネット上には非常に多くのカーディングサイトがあります。犯罪者はその中から自分のサイトをお客さんに選んでもらい、クレジットカード情報を購入してもらわなければならないのです。そのためにはさまざまな工夫をする必要があります。

たとえば、買いたいクレジットカードの種類を選べるようにしたり、頻繁に新しいクレジットカード情報を追加したり、期間限定セールを行ったり、お客さんからの質問にチャットで迅速丁寧に対応したりしています。また、多くの場合クレジットカード情報の購入はBitCoin等の仮想通貨による支払いが必要になるのですが、仮想通貨に不慣れな人向けのていねいなチュートリアルがあったり、それがどれほど安全で警察の捜査の手が及ばないものであるかを力説していたりするものもあります。さらに、せっかく購入してもらったクレジットカード情報が使用できなかった場合の無料保証プログラムや、少額購入によるお試しプログラム、一括購入による割引制度など、工夫を凝らしたビジネスを展開しています。

◆カーディングサイトのビジネスの仕組み

通常お客さんが買い物をする時は、直にそのものを手にとってみたりしたくなりますが、カーディングサイトにおける商品はクレジットカード情報そのものなので、全桁の情報を掲載するわけにはいきません。しかし、客の立場からすると「VISAカードの情報を10件ください」という漠然とした形で買うのはなんとなく不安があります。そこで、クレジットカード情報のうち、たとえば先頭の４桁と末尾の４桁、加えて有効期限や氏名、国、

ｚｉｐコードなどの断片的な情報を載せて一覧にしているサイトが多くあります。

こうなっていると実際に購入できるクレジットカード情報のイメージがしやすく、またお客さんが購入したいクレジットカードを選別しやすくなります。お客さんから見れば、この断片情報が多く掲載されているカーディングサイトのほうが信頼度が高いように見えて、購入まで進んでしまう可能性が高くなることになります。

◆カーディングサイトの無効化戦術でわかったこと

さて、私は元サイバー犯罪捜査官であり、当時はクレジットカード会社で不正対策の仕事をしていましたので、社内のクレジットカード情報にアクセスする権限を持っていました。ある日、いつものようにカーディングサイトを調査していた私の頭に、あるアイデアが浮かびました。これだけの断片情報があれば、社内のデータベースと照合することによってすでに情報が盗まれているクレジットカードを特定できるのではないか？　つまり、先頭４桁、末尾４桁、有効期限、ｚｉｐコードが完全に一致するカードはそれほど多くないはずだし、さらに氏名までわかっていればピンポイントで1枚のカードを特定でき、この情報が誰かに買われて不正利用される前に対処すれば被害を未然に防止できるのではないかと。

私はさっそくあるカーディングサイトの中から自社のクレジットカードの断片情報をサンプルとしてひとつ選び出し、手作業でデータベースに当ててみることにしました。すると、見事にピンポイントで1件のクレジットカード情報がヒットしたのです。さらに数十件を照合したところ、だいたい8割くらいはピンポイントでヒットし、それ以外のものも手作業で細かく見ていけばそこそこの確率で特定できそうだということがわかりました。

それならば、ということでこのサイトで販売されている自社カードの断片情報をすべてダウンロードし、一括でデータベースに照合できるプログラムを作成して実行したところ、いろいろ一筋縄ではいかないこともありましたが、結果的には２０００件以上のクレジットカード情報を特定できました。

たとえばダークウェブ上で1件のクレジットカード情報が買われて不正に使われた場合に平均で50万円の損害

が発生すると仮定すると、50万円×2000枚で10億円相当の被害を防止できた計算になります。これは素晴らしいことです。しかも、数多くあるカーディングサイトのうちたった1つのサイトに載っている断片情報だけで10億円分の被害防止ができたのですから、これは他のサイトも片っ端からやってしまえば莫大な金額の被害防止ができると思い、さらに多くのカード情報を販売しているサイトに着手しました。そのサイトには、自社のカードだけで1万件近くの情報が売られていましたので、これを全部特定すれば50億円相当の被害を止められる、そう思って夢中でデータをかき集めて照合しました。

するとここで驚くべき結果がでました。何と、1件もヒットしなかったのです。つまり、このサイトで売られていたカード番号はすべて偽物だったということです。たくさんのカーディングサイトを調査してきた私から見て、このサイトは作りもていねいだし検索機能も充実していて、情報の更新も頻繁に行われていてサポートも24時間体制だし、非常によくできた優良な（つまり悪質な）サイトに見えました。それがすべて偽物だったのです。

このサイトでカード情報を買ってしまった人はかなりの数いると思いますが、買った人も悪い人なので警察に届け出ることもありませんし、悪人と悪人で騙し合っている構図がそこにありました。私はこのサイトは諦め、その次に立派な作りのサイトに移行して同じ解析を行いましたが、ここでも結果は同じですべて偽物でした。その後もたくさんのカーディングサイトを調査しましたが、結果はそのほとんどが偽物でした。たまたま最初に着手したサイトが本物だったというだけで、私の個人的な経験で言えばインターネット上でカード情報を販売しているサイトの90％以上は偽物ということになります。

クレジットカード情報を盗んで販売して利益を得ている輩がいる一方で、カード情報を買おうとする悪い人を騙して利益を得ている輩が相当数いるということですね。

世の中の闇は深いです。

◆カーディングサイトに対する対抗策

すでに盗まれてしまったクレジットカード情報に対しては、前述の方法で特定できれば事前に停止したり注意フラグを立てたりすることによって不正利用の被害を防止できますが、根本的な解決にはなりません。

フィッシングサイトに対する対応策と同じようにカーディングサイトをテイクダウンする方法もありますが、基本的にこれらのサイトはダークウェブ上や防弾サーバー上にあることが多いので、簡単にはテイクダウンできません。ここで有効なのは、もしかすると「木を隠すなら森の中」作戦と同じような考え方かもしれません。

仮に現存するカーディングサイトのうち90％が偽物だったとして、もっともっと偽サイトが増えたらどうなるでしょうか。インターネット上でクレジットカード情報を買おうとしても、その99・9％が偽物だったとすると、もはやインターネット上で本物のクレジットカード情報を購入するのはほぼ不可能になります。つまり、ネット上でクレジットカード情報を売って儲けることも難しいことになり、犯人としては商売上がったりということになります。

なんとも皮肉な話ではありますが、カーディングサイトに対する有効な対応策は、偽物のカーディングサイトが爆発的に増えることなのかもしれません。

【これが定番！】 ネット上で売られているクレジットカード情報はほとんどが偽物。

コラム

「サイバー犯罪に国境はない」

サイバー犯罪捜査に携わるようになり、日本だけにとどまらずさまざまな国際会議に参加するようになりました。そうすると自然と海外捜査機関の捜査員とやりとりするようになります。いや、やりとりしなければ仕事にならないのです。

最初はものすごく不安だったのですが、結果的にはそんなに心配する必要はありませんでした。「私は日本から来た警察官です」と話すだけで、皆パッと笑顔になり、同じ志を持った同士よ！　といった感じであっという間に打ちとけることができました。片言の英語でまったく問題ありません。どんどん話しかけて仲良くなると、日本では聞いたことのない、「そんなこと現実に起こるの!?」という犯罪や捜査手法を知ることができるようになりました。その時衝撃が走った、私が最も印象に残っている事案を紹介します。

ある国では女性や児童を対象とした犯罪が後を絶たず、誘拐も多発するなど警察が手をこまねいている状態が続いていました。そこで裁判所、検察、警察が一体となった合同オペレーションを展開します。

それは匿名ネットワーク上に設置された掲示板におとりの情報を掲載し、そこにアクセスしてきた犯罪者らを巧みに誘導して送信元を突き止めるというもので、組織の壁を越えてオペレーションを推進した結果、50名以上の犯人が特定され、一斉摘発の際かなりの数の誘拐された児童らが救出されたというものでした。

日本と外国の犯罪発生率は異なりますし、法律や捜査手法が異なることは当然ですが、日本の捜査手法以外知らない（当然と言えば当然ですが）私にとって、この話は頭をハンマーで殴られるほど衝撃的でした。マジでそんなことやっちゃうの？　そんなのありなの!?――と。

ある国ではアンダーカバー（潜入）捜査が当たり前、またある国では通信傍受が比較的簡単にできるなど、これまで日本の捜査手法が常識であり限界であった私の価値観（基準）が、いい意味でガタガタと音を立てて崩れていきました。

もちろん法律上できること・できないことがあり、犯人が特定できるなら何をやっても良いということは決してありません。しかし、国内の閉じた環境で手をこまねいているだけでは、新たな発想が出てくる可能性は極めて低いです。ゼロからイチを作ることは難しいですが、すでに外国の捜査員が試した捜査手法や成功・失敗例を知り、それを日本流にアレンジできれば可能性は一気に広がります。

2022年、警察庁にサイバー警察局が新設され、外国捜査機関とのジョイントオペレーションに日本も積極的に参加するようになったことは非常にうれしいことであり、微力ながらサイバー犯罪者の検挙に役立てたらと考える今日この頃です。

インシデント6-12 サイバー犯罪捜査の基本

◆IPアドレスはナンバープレート

サイバー犯罪を捜査する上での基本となるのがIPアドレスです。IPアドレスとは何かという話をする時によく出てくる説明が「IPアドレスはインターネット上の住所です」というものです。確かにアドレスと言うだけあって住所という説明は間違ってはいないのですが、これだけだとサイバー犯罪の流れを理解するのが難しくなる場合があります。

私が警察学校でサイバー犯罪捜査について教えていた時は「IPアドレスは車のナンバーだと思ってください」と教えていました。

たとえば、駐車場に停まっていた車に当て逃げされた場合を考えてみましょう。当てられた車は被害者で、その車のナンバーを調べれば持ち主が特定できます。では犯人の車はどうでしょうか。もう逃げてしまったので被害の現場にはいませんが、防犯カメラがあればそこにナンバープレートが映っている場合があります。ナンバーがわかれば、そこから当て逃げした車の持ち主がわかることになります。この防犯カメラがいわゆるログと呼ばれるもので、ログがあるかないかによってその後の捜査の困難性が大きく変わることになります。

さて、防犯カメラがあってナンバープレートがハッキリ映っていればそれですぐに犯人が特定できるかというと、答えはＮｏです。インターネットの世界では、走っている車のほとんどはレンタカーなのです。つまり、車の所有者を調べてもレンタカー会社の名前が出てくるだけで、犯人の名前が出てくるわけではないのです。

ではどうするかと言うと、警察はそのレンタカー会社に対して「この日この時間にこのナンバーの車を借りていた人の記録を提出してください」と、法律的な手続きによって情報開示をお願いすることになります。

これによって、その時に車を借りていた人物が判明しました。ではその人が犯人なのでしょうか？

そうとは限りません。車を借りた人と実際に運転していた人は別人かもしれませんし、車自体が盗まれたものかもしれません。防犯カメラには車のナンバーしか映っていないので、誰が運転していたかまではわからないのです。これをサイバー犯罪捜査の「ラストワンマイル」と言いまして、たとえ犯行を行ったデバイスまで特定できたとしても、誰がクリックしたのかをログから特定することは不可能なのです。

また、そもそもこのレンタカー会社が警察に非協力的だった場合はどうでしょうか。プライバシーを理由にいっさいの情報開示に応じないとか、そもそもログをいっさい残していないとか、ログはあったけれども保存期限を過ぎたので消滅しているとか、そうなるともはやそれ以上の捜査は困難を極めます。インターネット上の犯罪ではそのような場合が非常に多いのです。

◆足が付かない犯罪者をどう捕まえるか

サイバー犯罪者は、IPアドレスから接続元が特定されてしまうことを知っています。だからこそ、警察からの開示要請に応じないサーバーを利用したり、接続ログをいっさい記録しないプロキシサーバーを利用したりするのです。ただ例外として、そのような知識を持っていない少年が興味本位でサイバー犯罪を行ってしまうことがあります。

被害を認知した警察が捜査をすると、IPアドレスやSNS等の公開情報から比較的容易に犯人にたどり着いて検挙されることがあります。それが報道されることにより「17歳の少年が不正アクセス」「14歳の中学生がハッキング」などという見出しが作られることになるので、サイバー犯罪は若者が行うことが多いという印象を持っている方が多いようです。

しかし、現実は違います。浅はかな知識しか持っていない少年が犯行を行ったから検挙されただけで、ちゃんとインターネットの仕組みを理解している犯罪者はなかなか検挙されません。

ただ、高度なサイバー犯罪者であってもミスをすることがありますので、サイバー捜査官はいかにしてその小さなミスを見つけ出して捜査し検挙まで結び付けるか、というのが腕の見せどころです。

【次の一手】

サイバー犯罪捜査はまずログの有無から始まる。

コラム

「インターナショナルタスクフォース」

アメリカにはNCFTA（National Cyber Forensics & Training Alliance）という組織があります。これはFBIが作ったサイバー犯罪と戦うための組織で、さまざまな民間企業と、ITF（International Task Force）と呼ばれる世界各国から集結したサイバー捜査官らによる情報共有と共同捜査が行われています。

私はこのITFのメンバーとして、極秘オペレーションに参加したことがあります。その具体的な中身を紹介することはできないのですが、サイバー犯罪に対して各国の捜査官が力を合わせて立ち向かうのはとてもエキサイティングな経験でした。ITFのメンバーとは仕事が終わってからよくホームパーティをしまして、それぞれのアパートの部屋を「大使館」と呼んでいました。今日はウクライナ大使館でパーティ、明日はカナダ大使館、来週はセルビア大使館というような感じでみんなそれぞれの国の郷土料理を作ったりしてもてなしてくれました。

もちろん私のアパート、日本大使館でもジャパンパーティを開催し、頑張って唐揚げや肉じゃが、焼きそば、豚汁などを用意したのですが、ある国の捜査員は私にこう言いました。

「オレ、グルテンフリーじゃないとダメなんだけど、どれなら食べられるかな」

グルテンフリーとは小麦等に含まれるグルテンをいっさい摂取しないという考え方で、唐揚げは衣に含まれているからダメ、肉じゃがに使っている醤油にも少量のグルテンが入っているからダメ、焼きそばは論外、豚汁の味噌にもグルテンが入っているからダメということで、結局野菜スティックとチーズだけ食べていました（涙）……。

多国籍の人を招くのであればそういう多様性も考えなければいけない、というのも勉強になりました。

ちなみに私はアメリカに住んでいる間に日本人のお茶の先生と知り合い、盆略手前を教えていただく機会がありました。見よう見真似の拙いお手前ではありましたが、このパーティの時に各国の捜査官の前でお茶を立ててお出ししたところ、非常に喜んでくれました。

インシデント 6-13 サイバー犯罪者の姿

◆サイバー犯罪はどのように実行されるのか

皆さんはサイバー犯罪者に対してどのようなイメージを持っているでしょうか。暗い部屋に一人でこもってフードを被り、メガネのレンズにパソコンの画面が反射して、キーボードをカチャカチャしてニヤリと笑う……そんなイメージでしょうか。

実際のところはどうなのかはわかりませんが、サイバー犯罪者にもさまざまなタイプがいます。一人で犯行を行う者もいれば、複数人で事前にメッセージのやりとりをして共同で犯行を行う者、インターネット上で仲間を集めてゆるいつながりで犯行を行う者もいます。また、犯行の目的も愉快犯的なものや特定の思想に基づくもの、サービスを妨害するもの、金銭を狙うものなどさまざまです。

インターネットの黎明期は、先に記載したとおり単なるイタズラや愉快犯的な動機の犯罪が多かったのに対し、買い物や支払いがすべてインターネット上でできるようになった現代では、金銭目的の犯行が圧倒的に多いです。電子マネーや暗号通貨のようなものは特にその標的になりやすく、それらをどう守っていくかというのは非常に大きな問題です。

たとえば、犯罪者が大きな銀行の大金庫に侵入して大金を盗もうとした場合、どのような作戦を立てるでしょうか。映画でもよくこのようなシーンがありますが、仲間を集めて事前に侵入ルートや防犯カメラの位置、警備員の配置状況を確認したり、現金の運び出しから逃走手段に至るまでかなり綿密に計画が練られることでしょう。また、警備員に変装して金庫に近づいたり、警報装置を無効化したり、逃走途中で車を乗り換えたりなど、さまざまなトリックを駆使することになるでしょう。

◆巧妙さが増しているソーシャルエンジニアリング技法

サイバー犯罪でも、銀行の大金庫に該当するような大金を狙う時は同じようなことが行われています。事前に対象となるシステムを調べ上げ、検知システムをかいくぐる方法を探したり、脆弱性を使って予期せぬ動作を引き起こしたりします。また、システムに対するハッキングだけではなく人に対するハッキング、いわゆるソーシャルエンジニアリングと呼ばれる手法も多分に使われます。

この「人を騙す」ソーシャルエンジニアリングという部分に関しても、数ヵ月以上かけて少しずつ相手に信用させて、特定のプログラムを実行させるということが行われます。

フィッシングメールのように、ただメールを送ってリンクをクリックさせるというような単純なものではありません。実在する関係者になりすましたり、権威ある人物になりすましたりしてメッセージを送るだけでなく、実際にＷｅｂミーティングを行ったり、やりとりの中で実際に物を郵送で送ったり、またそのようなことを何ヵ月も続けることがあります。

被害者からすると、たとえ一度も会ったことのない相手であっても何ヵ月もやりとりしていればすっかり信用してしまい、相手の求めに応じて送られてきたアプリケーションを実行してしまったりするのです。現実世界でも、個人の財布を盗もうとする犯罪者と大手銀行の大金庫を狙おうとする犯罪者では大きな違いがあります。サイバー犯罪の世界でも同じことが言えます。ちょっとしたサイバー犯罪のテクニックだけで少額を稼ごうとする犯罪者もいれば、ものすごく綿密で長期的な計画を立てて大金を狙う者もいます。後者のタイプは、たとえ計画が途中で失敗に終わったとしても決して警察に捕まらないような措置を講じている場合が多く、その本当の姿をなかなか知ることができません。

【考え方を変えよう】

サイバー犯罪者の本当の姿はなかなか表に出ない。

第7章

警察組織って何？

インシデント 7-1　警察の管轄とは何か

◆無線は聞き漏らさない

本章では知っているようで知らない警察組織について解説します。本書のテーマである警察への依頼の仕方について、理解の補助線になると思います。

警察には管轄があることは○○警察署や○○交番など地名が付いていることから皆さんもなんとなくイメージできると思います。一番小さな単位が交番です。一般的には警部補や巡査部長を長として複数の警察官が交代制で24時間365日勤務しています。

医者にたとえると、交番の警察官は皆さんのかかりつけ医、警察署や警察本部は、地域の大きな病院や大学病院と考えるとイメージしやすいのではないでしょうか。

○○町1丁目▲▲番まではA交番、それ以降の番地はB交番などかなり複雑に入り組んでいる場合もあり、110番や警察署から流れる無線指令を注意して聞いておかなければなりません。もちろん他の取扱いがあったり、無線が届かない不感地帯にいたりすることもあるのですが、やはり自分の交番管轄内で発生した事件事故を聞きもらして、取り返しがつかない事態になったらたいへんです。それはそれは警察官は無線をよく聞いています。

◆パトカーで急行！

と言いつつも、交番管轄の端っこで取扱い中、反対側で110番が入ることがあります。小さな交番だと2名や3名で勤務していることもあり、急行できません。そのときに頼りになるのがパトカーです。警察署の大きさにもよりますが、パトカーは機動力があるため警察署管内すべてを管轄としているところが多いです。徒歩や自転車では時間がかかるところでも、緊急事案が発生した場合は赤色灯を点灯して緊急走行で現場に向かうことができますよね。私も駆け出しのころ、最初に現場に到着してどこからどう手を付けていいか困っていたときにパトカーのサイレンが聞こえて安堵したことが何度もあります。

警察学校を卒業して警察署に卒業配置すると、ほとんどの警察官が交番で勤務を開始します。そして次のステップとして憧れるのがパトカー乗務員です。やっぱりかっこいいですし、認められたっていう感じがするんですよね。

◆管轄を越えたら捜査はローミング

では管轄をまたいだ犯罪（たとえば当て逃げなど）が発生した場合はどうなるのでしょうか。A警察署の警察官はB警察署の管内に入っちゃいけないから追いかけない、犯人を見つけて猛追していても、管内を超えそうになったらブレーキを掛けてストップするのでしょうか。

安心してください、そんなことはありません（当たり前ですよね）。交番から交番、警察署から警察署、県から県と管轄をまたいだ犯罪が発生した場合、流れるような無線指令が次々と入り、組織で犯人を追いかけます。外国と異なり、日本の警察は逃走する犯人を深追いせず一定のところで打ち切りますが、安心してください。事後捜査に切り替えてきっちり犯人を追い詰めます。

何度も述べていますが、もし皆さんが事件や事故に巻き込まれたときは遠慮なく110番してください。便宜上管轄が設けられていますが、必ず近くにいる警察官がきますのでご安心ください。

【考え方を変えよう】

交番単位が最小。次に警察署、警察本部と大きくなる。

インシデント7-2

警察庁と警視庁、都道府県警察の違い、お互いの立場を知って気づいたこと

警察庁、警視庁と都道府県警察ってよく耳にすると思いますが、その違いはご存じですか？　詳細は警察庁のホームページにも記載されていますので割愛しますが、次に簡単にまとめました。

◆警察庁

警察庁は国の警察行政機関であり、職員は基本的に国家公務員です。国家公務員採用総合職試験に合格した方（いわゆるキャリア）と、国家公務員採用一般職試験に合格した方（いわゆる準キャリア）がいます。警察庁は都道府県警察を指揮監督する立場となります。

◆警視庁と都道府県警察

警視庁は東京都の警察であり、大阪府警や神奈川県警をはじめとした他の道府県警察と同列です。職員は基本的に地方公務員です（警視正以上の階級は国家公務員になります）。犯罪の予防や捜査、犯人の逮捕、交通の取り締まりなどを行う皆さんの身近な存在です。

◆警察庁へ出向

私が警視庁から警察庁に出向して感じたことは、警察庁採用の方はほんの一握りだということです。ほとんどが全国都道府県警察から出向してきた警察官で、これまで現場でバリバリ仕事をしていた方が、出向してきたその日から警察庁の職員として都道府県警察を指導する立場になります。私の場合、これがなかなか受け入れられ

ませんでした。偉くなったわけでもないのにどうするのよと……。

◆立場が変わると見え方も変わる

これまで「ここで遠慮していたら捕まる犯人も捕まらない！」と鼻息荒くイケイケガンガンで仕事をしていた私にとって、「質問されて判断する立場」になったことは貴重な経験でした。

都道府県警察の捜査員が悩みに悩んで、思い当たるところはすべて調べたうえで最後に相談する先が警察庁です。仮に私が「大丈夫じゃないですか？　それでいいと思いますよ」と安易に回答してしまうと、問い合わせてきた県警には、「何月何日に警察庁●●局●●課の●●さんに確認したらOKと言われた」と書面で記録が残ってしまいます。これが半永久的に引き継がれてしまうのです（私がそうしていたように……）。となると軽々しく回答できず、「個別具体的な判断についてはケースバイケースなので現場で判断してほしい」といった何とも煮え切らない回答になってしまうことが多いのです。しかし、私が一緒に勤務した警察庁の方々は、現場の捜査員の意見照会（詰まるところやる気）を安易に切り捨てることなく、法的根拠や過去の事例など万が一外部から突っ込まれたときにどう説明するか、膨大な資料や文献を検索して可能な限り対応しており、愚痴をこぼしていた自分が恥ずかしくなりました。

双方の立場を経験することで今まで見えなかったものが見えるようになります。悪いヤツを捕まえたいという同じ志（こころざし）を持つ者同士、警察庁だから、県警だからと固執することなくお互いに知恵を振り絞って協力することで「そんな方法があるんだ、それは知らなかった！」というアイデアが出ることがあるんです。警察庁での勤務は本当に貴重でした。

【これが定番！】 警察庁は都道府県警を指揮監督している。

「警察24時や刑事ドラマが根強い人気である理由」

皆さんはテレビの警察24時や刑事ドラマは好きですか？　程度の差はあれど、ほとんどの方は好きか嫌いかで言えば「好き」と答えるのではないでしょうか。

小学1年生を対象とした将来なりたい職業ランキングを見ると、男女ともに警察官は常に上位にランクインしています。しかも、大人気のユーチューバーやプロスポーツ選手、お花屋さんやケーキ屋さんよりも上だったりします。子供たちは戦隊モノや仮面ライダー、プリキュアやセーラームーンを見て育ち、街を走るパトカーを見て警察官に憧れを抱くのかもしれません。しかし、小学校高学年、中学生、高校生と年齢が上がるにつれてなりたい職業ランキングでの警察官人気は下がっていきます。決して楽な仕事ではないし、危険な目に遭うかもしれないし、最悪の場合殉職するかもしれないし、実際に警察官採用試験を受けるところまで行く人が少ないのはしかたがないことです。

事実、私が警察官の採用試験を受けたいと言った時には、両親や当時の彼女（今の妻です）にも大反対されました。とはいえ、悪人を捕まえ困っている人を助けるヒーローのような存在はやはり誰にとっても憧れであって、だからこそ警察24時や刑事ドラマ、古くは水戸黄門や大岡越前のような勧善懲悪、判官贔屓のストーリーが人気なのだと思います。警察官としての信条を表す「警察職務倫理の基本」の一つ目は「誇りと使命感を持って国家と国民に奉仕すること」となっています。仕事をするための原動力が「誇りと使命感」って、なんともつかみどころのない話ですよね。でも実際そうなんです。

私は警視庁を退職した今でも誇りと使命感を持っていますし、世の中の悪をやっつけたいと本気で思っています。

インシデント7-3 刑事課をはじめとする警察の組織

映画やテレビドラマで取り上げられることが多いのは圧倒的に刑事です。警察学校や交番、取調べやサイバー犯罪捜査官など特殊な部署にスポットを当てたドラマも放映されていますが、やはり身近でわかりやすく、いろいろな広がりを見せるという意味では刑事ドラマが安定しますよね――と私は個人的に思っています。

警察庁は、長官官房、生活安全局、刑事局、交通局、警備局、サイバー警察局等で構成されています。若干の差こそあれ、都道府県警察はおおむね警察庁それぞれの局に対応する部署で構成されており、警視庁では「局」を使わず「部」と呼んでいます。以下、テレビでよく見かける部署を中心に説明します。

◆刑事部

殺人や強盗、強制わいせつ事件などいわゆる強行事件と呼ばれる事案を捜査するのが捜査第一課です。テレビのように常に凶悪事件が発生するわけではないため、書類作成や情報収集など地道な作業を行いつつ、いざというときに備えています。警察署では、刑事課強行犯捜査係などと呼ばれ、刑事課の筆頭係となるため庶務的な業務に携わることもあります。

転職したのち、ある案件について警察の方とミーティングを行うことがありました。その際同僚とともに参加したのですが、ある方が「警視庁では捜査第一課の殺人○係で殺人犯を○年間追いかけていました。よろしくお願いします」と自己紹介されたのです。帰りに同僚が「警察の方の自己紹介、インパクト強すぎます！　よろしくお願いしますと言われても。何の話をしに来たのか一瞬忘れてしまいました、強烈でした」と言っていたのを聞いて大笑いしてしまいました。誰でもできない、相手に印象付ける効果的な挨拶だと思いました。

特殊詐欺や贈収賄などの汚職事件、いわゆる知能犯事件を担当するのが捜査第二課です。私の勝手なイメージですが、捜査第二課は一言で言うと緻密です。とにかく細部まで調べ尽くして、作る書類の量も膨大です。知能犯というだけあって、犯罪者のウソを突き崩すためには膨大な資料の準備が必要なのだと思っています。

空き巣、スリ、ひったくりなどいわゆる窃盗事件を捜査するのが捜査第三課です。盗んだ／盗まれたというシンプルかつ数多く発生する事件を捜査します。一昔前にピッキングやサムターン回しなどが流行りましたが、特殊開錠用具を使用した侵入窃盗事件などの捜査を行う部署です。見習いのころ、「グニ屋回りに行くから着いてこい」と言われ、グニ屋って何？……と思って聞けなかった覚えがありますが、後から質屋回りだと知り何という隠語！――と思った記憶があります。久しぶりに思い出し、インターネットで調べたらなんとWeblio辞書に掲載されているではありませんか。少しうれしくなりました。

◆組織犯罪対策部

薬物や暴力団、外国人組織犯罪を担当するのが組織犯罪対策部です。決して偏見ではありませんが、非常に強面の方が多い印象です。相手にするのがその筋の人なので、それに対抗するためには見た目で負けていては勝負にならないところもあるのではないでしょうか。味方であるとこんなに頼もしいことはありません。

あるとき、駅前で特殊詐欺被害に遭わないための防犯キャンペーンに参加しました。刑事・交通、交番の警察官などあらゆる部門の方が参加してかなり大きなキャンペーンだったのですが、組織犯罪対策部門からは暴力団担当の方2名が参加していました。1時間ほど道行く方々にチラシやティッシュを配布したのですが、これが怖いのなんの。防犯腕章を付け、ドスの利いた声で「特殊詐欺に気をつけてくださ～い」と言う姿を見て違和感しか覚えませんでした。でもなぜか子どもたちには人気があるんです。不思議ですよね。

暴力団事務所の捜索差押えを行う警察官の動画を見るとわかるのですが、正直どっちがどっちかわかりません。

昔先輩に「暴力団担当の警察官は、いざという現場では運動靴を履いているから。そこで暴力団か警察官か見分けるんだぞ」と言われたことがありますが、そんな恐ろしい現場に立ち会ったことがないので真相は闇の中です。

◆生活安全部

法律には刑法だけではなくたとえば少年法や環境に関する法律などさまざまなものがあります。その刑法以外の法律を担当するが生活安全部門です。私が勤務したサイバー犯罪対策課は生活安全部にありました。よって警察署では生活安全課で勤務することが多く、生活安全部門に属するさまざまな部署を経験しました。駆け出しのころ、上司から「あのな、生活安全部門の守備範囲はとにかく広いんだ。ゴミ箱から宇宙までやるのが俺たち生活安全課なんだぞ」と言われ、これはたいへんだぞと思った記憶があります。

生活安全部門は捜査も行うのですが、犯罪を未然に防止するいわゆる防犯も担当しています。そもそも被害に遭わないようにする、つまり犯罪を寄せ付けない「予防」が極めて重要なのですが、これがなかなかわかってもらえません。

20年ほど前、自転車の前かごからカバンをひったくる事案が社会問題となり、私がいた警察署でも防犯グッズ（ピーポ君マークが入った前カゴを覆うカバー）を作成して街頭キャンペーンを行うことになりました。2時間ほど駅出口で配布し、かなりの数のカバーを配布できたのですが、取りに来る方は防犯意識の高い方ばかりで、我々が配布したい、本当に気をつけてもらいたい方はなかなか受け取ってもらえません。実際に被害に遭った方から話を聞いた限りでは、誰一人として防犯カバーを付けていませんでした。我々の防犯キャンペーンのやり方を見直す必要があると同時に、まさか私が被害に遭うなんて……という方にどうアプローチするか、本当に難しいと感じました。

映画や刑事ドラマで取り上げられる組織を中心に紹介しましたが、その他、交通部、警備部、人事をつかさどる警務部や総務部などさまざまな部署があります。皆さんに身近な交番や警察官になったら必ず入校する警察学校はどの部門に属するのかなど、興味のある方は警察庁や各都道府県警のホームページを見ていただけるとより理解が深まると思います。

【これが定番！】

他にもいろいろな部署があります。

コラム

「白バイは雨ニモ負ケズ風ニモ負ケズ」

私は昔白バイ隊員でした。白バイと言うと交通取り締まりのイメージが強いと思いますが、私はちょっとレアな警備専門の白バイで、総理官邸や国会議事堂、皇居の周辺を白バイで警備するという任務についていました。

交通取り締まりの白バイは、危険防止のために基本的に雨天や夜間は走らないのですが、警備の白バイは天候や時間帯も関係なく走らなければなりませんでした。白バイ隊員はどんな状況でも安全に走行できるよう厳しい訓練を積んでいるので、多少の雨風は問題ないのですが、真冬の午前4時、気温は氷点下、見るからに凍結していそうなアスファルトの上を走るのは本当に怖かったです。また、極寒のために指先はかじかんで完全に霜焼けになってしまい、ブレーキレバーを握るのも辛いという時期もありました。

とはいえ、白バイも辛い時ばかりではありません。暖かくなり始めた4月初旬の真夜中、皇居の桜はまさに満開、人も車もまったくいない千鳥ヶ淵を舞台に、赤色灯を点けた白バイで疾走するのは本当に気持ちよかったです。あまりにも気持ちが良すぎて夜中の間に皇居の周りを何十周も走ってしまい、翌朝気づいたらガソリンが残りわずかになっていて、途中でガス欠にならないかドキドキしながら帰隊したのを覚えています。

ちなみに警視庁白バイ訓練所では、エンジンを切った状態で白バイを押して長距離を走らされる、通称「グランプリ」と呼ばれる地獄の訓練があります。基礎体力錬成のための訓練だと思っていましたが、もしかしたらこういう事態を想定しての訓練だったのかもしれません（笑）。

インシデント7-4 どうしたら刑事になれるの？

◆キャリアパスのはじめは講習から

警察にいろいろな部署があるのは先に説明したとおりですが、では交番にいる新人警察官が刑事になりたい場合はどうすればいいのでしょうか。

実は、刑事になるためには資格が必要です。これは刑事講習、生活安全講習、組織犯罪対策講習などの2ヵ月ほどの研修を受けることによって得られる資格で、「捜査適任者」などと言われるものです。しかし、この講習は希望すれば誰でも行けるというわけではありませんので、刑事志望の新人警察官は交番勤務を通じて悪い人をたくさん捕まえて刑事さんたちに認めてもらい、刑事課長から「今度の刑事講習はあいつを行かせようか」と言ってもらえるようにならなければなりません。

警察官にもいろいろなタイプがいますが、普段の仕事ぶりを刑事さんが見れば、その人が刑事に向いているか向いていないかはだいたいわかります。また、刑事という仕事は時に寝食を忘れて取り組まなければならないハードな仕事ですし、いざ犯人と対峙した時に負けないために強靭な体力を持っていなければならないので、刑事課には柔道や剣道が強い人が多い印象です。

◆刑事の基本のキ

刑事になるための講習では犯罪捜査に関する法律や手法について学んだり、裁判官に逮捕状を請求したり検察官に事件を送致するための書類作成方法を学んだりするほか、鑑識の実習で実際に指紋を採取したり、押収したスマートフォンからデータを抽出する訓練なども行います。無事に講習を終えて適任者として指定されたとしても、刑事課に空きがなければ刑事になることはできません。実際には、適任者にはなれたけど希望の課に入れなかったという警察官もたくさんいます。

タイミングよく空きができて刑事課に配置換えになったとしても、講習で学んだことは刑事としての基本中の基本ですので、本当の意味で刑事としての仕事ができるようになるには、そこから長い長い道のりがあります。事件のスジ読みから犯罪事実の組み立て、各種捜査手続き、被疑者の性格に応じた取調べなど、先輩刑事さんについて事件を解決しながら、何年もかけて少しずつ実力をつけていくようなイメージです。これは暴力団を専門に捜査する刑事であっても、サイバー犯罪を専門に捜査する刑事も一緒です。

【考え方を変えよう】

刑事になるためにはまず講習に。でもその先の道は長い。

「銃の撃ち方教えます」

警察学校では拳銃の授業もあります。座学で銃の仕組みや法令を学び、実技では銃の安全な取り扱い方から実弾射撃訓練まで行い、検定や競技大会もあります。実は、拳銃の上手い下手は運動神経の良し悪しとはまったく関係がなく、男女の力の差も関係ありません。拳銃はライフルと違って銃身が短いので、手元で1ミリ狂えば15メートル先の的では30センチずれてしまうような、見た目の迫力とは裏腹に実に繊細な武器なのです。

私はなぜか初めて撃った時から拳銃がよく当たり、拳銃射撃検定も同期の中で一番早く上級に合格しました。幸いにして実戦で撃つことはありませんでしたが、射撃大会の選手として特訓する機会も多かったので、普通の警察官の10倍くらいの実弾を撃ってきました。

そんな私がアメリカに派遣されていた時に、近くに新しい射撃場がオープンしました。アメリカ人の知り合いに連れて行ってもらったところ、外観も店内も非常にオシャレな作りでレンタルガンも充実しており、私はすっかりその射撃場が気に入ってしまいました。

そこは観光地ではないので、私のようなアジア人が来ると射撃場のスタッフも心配そうにするのですが、私は日本の警察官であることを伝え、また私が銃を正しく安全に扱っているところを見て安心してくれたのか、次第にフレンドリーに接してくれるようになりました。そんな話を現地在住の日本人の友人たちにしたところ、せっかくアメリカにいるのだから自分も一度くらい撃ってみたい！　という人が次々と現れました。

そこで私は「銃の撃ち方教えます」ということで、アメリカで日本の現役警察官が日本語で銃の撃ち方を教えるというたいへん珍しい教室を始めることにしたのです。銃の安全な扱い方から弾の込め方、狙い方、撃ち方のお手本を交えながらていねいに説明し、1時間で2つの異なるタイプの銃を撃っていただくコースで一度に2名まで。もちろんボランティアでお教えするのですが、私もいろいろな種類の銃に触れることができて自分の訓練にもなりますし、何より参加した方々にたいへん喜ばれました。参加者の方はアメリカで銃を撃つという初めての体験をし、その恐ろしいほどの衝撃を直に体で感じ、銃社会の本当の怖さや、警察官が銃を持たなければいけないことの意味とたいへんさを感じていただけたと思います。男女合わせて30名くらいの方に射撃体験をしてもらいましたが、その中ですば抜けて上手だったのはかわいらしい女性でした。

インシデント7-5 交番のお巡りさんと私服の刑事さんって何が違うの？

◆警察学校で学ぶこと

一言で言うと担当する職種が異なるだけで、基本的には同じ警察官です。前述のとおり、交番のお巡りさんが刑事さんになったり、刑事さんだった人が交番のお巡りさんになることもあります。

たとえば警視庁の場合、警察官採用試験に合格すると、Ⅲ類（高校卒業程度）で10ヵ月、Ⅰ類（大学卒業程度）で6ヵ月警察学校に入校し、無事卒業すると晴れて各警察署に卒業配置となり交番勤務からスタートします。よほどの特殊な技術や能力がない限り、全員交番のお巡りさんを経験することになります。

◆螺旋階段のようにステップアップ

交番では地域の方からの相談をはじめ自転車盗難の被害届受理、交通事故の処理などありとあらゆる事案を取り扱います。警察の原点ですね。そこでいろいろな経験を通して自分は何をやりたいのか、何に向いているのか、たとえば①悪い奴を捕まえたいから刑事になりたい、②被害に遭う人を一人でも減らしたいから防犯業務に携わりたい、③交通死亡事故ゼロを実現するため白バイで交通取締まりを行いたい、④交番勤務員として地域住民と密接にかかわる仕事がしたいなど、それぞれの道を志して進むことになります。

警察官の特性や社会情勢によって異なりますが一般的には、

- 地域課員として交番勤務（所属：警察署、階級：巡査、服装：制服）
- 刑事や生活安全など私服勤務（所属：警察署、階級：巡査、服装：私服）
- 専務員として本部所属へ異動（所属：本部（例：捜査一課等）、階級：巡査、服装：私服）
- 昇任して警察署へ異動、地域課員として交番勤務　（所属：警察署、階級：巡査部長、服装：制服）

このようにさまざまな部署を螺旋階段のようにぐるぐると回りながら経験を積み、階級を上げていくイメージです。

ですので、制服を着たお巡りさんにもいろいろな階級の人がいますし、刑事さんたちにもいろいろな階級の人がいて、一概にどちらが偉いということはありません。なお、刑事課だけでなく組織犯罪対策課や生活安全課で勤務している人も一般的には「刑事さん」と呼んで差し支えありません。私服で捜査をしている人はみんな刑事さんです。ちなみに警察署の中では、階級が警部補の人は○○係長、または○○キャップと呼ばれ、巡査部長の場合は○○主任、または○○長（ちょう）さんと呼ばれます。巡査長の場合は基本的には○○班長と呼ばれるのですが、刑事の場合は○○刑事と呼ばれる場合があります。

私は巡査長の時に初めて刑事課に入り、名簿に自分の名前が「○○刑事」と書かれているのを見てとてもうれしかった覚えがあります。

【考え方を変えよう】

制服・私服の違いは仕事内容が異なるだけ。
さまざまな階級の警察官がいてどちらが偉いなどない。

インシデント 7-6　警察の階級

◆警察のキャリアプランニング

刑事ドラマやアニメを見ていると、警部補古畑任三郎や銭形警部のように警察の階級が登場することがあります。皆さんにとっては、わかるようなわからないような、なんとなくスゴイような、ふわっとした感覚だと思います。キャリア組は別ですが、都道府県警察に採用された警察官は、最初はみんな巡査から始まり、昇任試験に合格するごとに巡査部長、警部補、警部、警視……と上がっていきます。

上がっていきますと言っても、警察官の階級比率は警察法施行令で決められており、県によっても違いますが警部は全体の約5％、警視より上の人は全体の3％くらいしかいません。巡査長のまま定年退職を迎える人もいれば、警部補まではスピード出世したものの警部には昇任できずに警部補を30年やるような人もいます。

代表的な刑事ドラマ等の登場人物の階級は左表のようになっています。

階級	ドラマ名など	名前
警視	踊る大捜査線	**室井管理官**
警部	ルパン三世	**銭形警部**
	相棒	**杉下右京**
警部補	**古畑任三郎**	
	相棒	**神戸尊**
巡査部長	踊る大捜査線	**青島俊作、恩田すみれ**
	相棒	**亀山薫**
巡査長	踊る大捜査線	**和久平八郎**
	こち亀	**両津勘吉**
巡査	こち亀	**圭一＆麗子**

これを見ていると「へー、銭形と右京さんは同じ階級なんだ」とか、「青島巡査部長と古畑警部補が同じ警察署だったらおもしろそう」とか、いろいろ想像してしまいますね。

また、踊る大捜査線でいかりや長介さん扮するベテラン刑事の和久さんは実は巡査長で、青島巡査部長よりも階級的には下になるんですね。とはいえ、刑事としての経験は和久さんの方が圧倒的に上で、年齢的にも大先輩でしたので、いくら階級が下でも一定のリスペクトをもって接していました。

基本的には巡査から巡査部長までが実働員、警部補はその現場指揮者という立場ですので、被害に関する相談等で皆さんがお話する機会があるのは警部補以下の場合がほとんどです。

警部になると個別の事件に関して実際の捜査を行うことは基本的になく、その点で相棒の杉下警部はかなり特異な存在と言えます。

刑事ドラマを見る際は階級をなんとなく頭に入れて見てもらえると、あの人が指示する立場なんだ、動く人なんだ、報告は誰にされている、デスクで待っているなどわかるので、今までと違った見方、感じ方ができるかもしれません。

【これが定番!】 警察は階級社会です。

インシデント7-7 警察官は定期的に異動するの？

◆5年で入れ替わる流動性

警察官は定期的に異動します。

ごく一部の例外を除き、同じ部署に連続して5年以上勤めることはありません。ですので警察署を含むすべての所属の警察官は、5年経つと基本的に全員入れ替わっています。

過去私も「昔お世話になった●●さんに相談したいんですけど……」と住民の方から連絡を受けたことがありますが、残念ながらその方はすでに転勤していました。ひとつの場所で長く勤務するからこそ蓄積される知見というのもあるのですが、それでも警察官を定期的に異動させるのには訳があります。警察という職務の特殊さゆえ、長年同じ場所で仕事をしていると癒着や不正の温床となる可能性が高まるからです。

また、同じ環境が続くことによる悪い意味での慣れや緊張感の低下を防止する意味もあります。日本ではほとんど聞いたことがありませんが、報復を防ぐ意味合いもあるかもしれません。加えて、職場の人間関係という面においても、どうしても反りの合わない上司の下で働くことになっても、ほとんどの場合2～3年すれば自分か相手のどちらかが必ず異動するのでそれまで我慢すれば良い、といった副産物（？）もあります。

◆警察内でのジョブチェンジ

警察官は異動に伴って制服勤務から私服勤務になったり、総務的な仕事に変わったり、他の公的機関に派遣されたりする場合もあります。

私自身は警察に勤めた20年間のうち10年間はサイバー犯罪関連ですが、20代の頃は刑事もやりましたし、白バイに乗っていたこともありますし、機動隊の爆発物処理班にいたこともあります。また、自治体に派遣されて警察官と自治体職員両方の身分を持ちながら街の治安対策に当たったり、条例を作ったりしたこともあります。もちろん、警察官としての基本である交番やパトカーも経験しています。一口に警察と言ってもその職種は幅広く、そのすべてを極めることはできませんが、私自身も新しい任務に就く度に今までにない知識と経験を得ることができ、そのたびに警察官として、人として成長できたと思っています。

刑事一筋、鑑識一筋、白バイ一筋などと言うと聞こえはいいのですが、自分の専門分野を持ちながらも他の部署を経験してきた人の方が物事を多角的に見ることができ、結果的に良い警察官になっていくと考えています。

5年以内に必ず転勤となることのメリット・デメリットいずれもありますが、個人的には理に適った良い制度だと思っています。

【警察の秘密】 特別な事情がない限り、警察官は最大でも5年経ったら異動。

インシデント 7-8 警察官は忙しい？

◆多忙すぎる日常

警察官は、皆さんが想像している以上にとても忙しいです。24時間365日、多種多様な相談、被害届を受けての事件捜査、交通事故や交通違反の処理など山のように書類を作成しなければなりません。

1時間ものの刑事ドラマではだいたい40分ころに犯人の目星がついて、45分〜50分頃に犯人が捕まり、そのあとエンディング（行きつけの居酒屋で祝杯を挙げる）というパターンが多いですが、とんでもありません、実際は捕まえてからがたいへんです。

検察への送致まで余裕のない、たとえば深夜に逮捕した場合など、少ない当番員で力を合わせて徹夜で大量の書類を作らなければなりません。それ一件だけなら何とかなるところ、悪いことは重なるもので、次々と新たな相談や110番通報が舞い込むことも多く、忙しいときには一人何役もこなさなければならないなど、とにかく適切かつ効率的に処理しなければなりません。

◆事件は重なるもので……

私の忘れられない当番勤務ですが、娘が帰ってこないとの相談を夕方に受け、いろいろ調べていくとSNSに「死にたい」と書かれていたことが判明したため携帯電話会社に緊急照会を実施、回答を受け2時間捜索して発見したのが深夜1時（友達の家にいました）、息つく暇もなく家庭内のいざこざを明け方まで掛かって処理し、その書類をまとめていた明朝7時30分に最寄り駅で痴漢した犯人の身柄を確保したとの110番通報が……。すでに勤務を開始してから30時間が経過しており、気がつくとパソコンに数えきれない「iiiii……」が並んでいた、目薬を差したあと目を瞑ったまま気絶した、よだれを垂らして何度も同じ書類を作り直したなど数え上げればキリがありません。

もしインターネットで「警察官に相談したけど全然対応してもらえない、あ

いつらは何もしなくても給料をもらえる公務員だからいいよな、この税金泥棒！」など悲しい書き込みを見かけることがあったら、いやいやそうじゃないんだよと心の中で思ってもらえるとうれしいです。

【考え方を変えよう】 警察官は忙しい。

インシデント7-9 警察官だって感情を持った人間です

◆警察は身近な存在だけど……

「俺はちゃんと税金を払っているんだ、お前ら公務員は普段なんもやってなくて暇持て余してんだろ!? お前らは俺のために働く義務があるんだよ、さっさと犯人を捕まえて盗まれた金を取り戻せ！」

私がある警察署の生活安全課で勤務していたとき、突然来訪した相談者から浴びせられた一言です。驚いたのと同時に「そんなアホな、なんでそんな言われ方せんといかんねん」と一気にやる気がなくなりました（笑）。

ここまで強烈な先制パンチを食らうこともなかなかありませんが、似た経験をした警察官は数多くいるはずです。

話は変わりますが、皆さんが住む町を管轄する消防署の場所はご存じですか？ もしかしたら、警察署や交番はなんとなくわかるけど消防署はわからないなぁ……という方もいるのではないでしょうか。そう思った方は、知らず知らずのうちに警察を身近に感じているのです。

- 道路に車のマフラーが落ちているよ、ドライバーさん困っているみたい
- 放置自転車があるんだけどどうにかしてほしい
- 猫がいなくなったので探してほしい
- 鍵をなくして家に入れないから鍵屋さんを紹介してほしい
- お金がないから貸してほしい

――など、これって警察が受けることかと思うあらゆる要望や相談、意見が日々警察に寄せられます。「困ったときに頼りになるのはお巡りさん」、それだけ社会に浸透しているんです。普通に生活しているとほとんど警察の世話になることはない、もしかしたら一生警察官と話さない方もいるでしょう。いつでも頼ってよい存在であることは間違いありませんが、そうは言っても警察官だって感情を持った人間です。悪いヤツを捕まえたい、困っている人を助けたいと思って警察官という職業を選んだのです。俺のために働いて当然といった高圧的な態度で圧力を掛けるのではなく、なぜ困っているのか、警察官に何をしてほしいのかを真摯に伝えると、必ず親身になって対応してくれます。これは間違いありません。

もちろんすべての警察官が品行方正かと問われると100％言い切ることはできません。中には犯罪に手を染めてしまう悪い警察官がいることも事実です。ですが皆さんには、困ったときは遠慮なく相談してほしい、その際ほんの少し相手の立場に立って考えてもらえると極めてスムーズにやりとりが進むということを覚えておいていただけるとうれしいです。

【考え方を変えよう】 警察官も人の子。

コラム

「捜査経済の話」

警察が犯人を捕まえるにはお金がかかります。刑事さんのお給料も、超過勤務手当も、出張旅費も、当然ですがすべて税金です。「事件に大きいも小さいもないんだ!」とか「人の命は地球よりも重い」という言葉はたいへん美しいのですが、残念ながら警察のヒトモノカネは有限です。警察は発生したすべての事件を捜査することはできませんので、犯罪の態様や被害の大きさ、社会的反響、捜査の困難性等を勘案して優先順位を決めなければなりません。

特に捜査の困難性については、ものすごく手間と時間がかかるわりに被疑者を特定できる可能性が極めて低いものや、たとえば沖縄で発生した被害額1万円の事件の犯人を捕まえるために税金で東京から沖縄まで何度も出張するのはどうなんだ、というものもあります。

これを捜査経済上の問題と言います。もちろん、被害者の感情からするとそんな理由で捜査の優先順位が付けられるのは納得がいかないと思いますが、現実的にはそのようなことが常に起きています。

本書では主に「被害に遭った時にどうするか」を解説していますが、やはり被害犯罪には遭わないに越したことはないのです。

インシデント7-10 困っている人を助けたいという気持ちが人一倍強い警察官

◆情けは人の為ならず

ある朝、私がいつものように警察署に出勤したところ、いつもならとっくにに出勤している部下（女性警察官です）の姿が見当たらないことがありました。何かあったかもしれないと思い始めた矢先、職場の電話が鳴ったのです。その部下から「おはようございます、出勤途中に痴漢を捕まえたので〇〇警察署に被疑者を連行しました。いま警電（※警察専用の電話）から掛けています。事件処理してから出勤するのでお昼前頃になります。ご迷惑をお掛けして申し訳ありません」との連絡でした。こっちのことは心配いらない、ガッチリやってこいと伝えたことは言うまでもありません。

またあるときは、同僚と飲んだあとの帰り道、路上でしゃがみこんで動けなくなっている方を見掛けました。すると同僚がさっと駆け寄り、「大丈夫ですか」と声を掛けたのです。幸い大きなケガはなく、すぐにその場を離れたのですが、もし救急車を呼ぶことになったら、もし事件に巻き込まれていたら……と考えると自分だったら一瞬ためらってしまうかもしれません。とっさの一歩、何の躊躇もなく駆け寄る同僚の姿勢を見てやっぱり警察官ってすごいなと感心しました。

◆最後は警察を頼ってほしい

今は何かあれば誰彼かまわずすぐにスマートフォンで撮影する時代です。その撮影された動画や写真が動かぬ証拠となり、犯人の逮捕に結び付くこともあるでしょう。しかし、その場で困っている人や苦しんでいる人がいても、遠巻きに見てスマホで撮影するだけ。救助している方が大声で「救急車を呼んでください！　AEDを持ってきてください！」と叫んでも誰も耳を貸しません。もし自分が逆の立場、撮影される立場だったら……と少し想像力を働かせると行動も変わってくるのになぁと常々考えています。

何度も述べているように、すべての警察官がいい人だと言いたいわけではありませんが、多くの警察官は困った人を見掛けたら放っておけない人たちです。考えるより先に体が動く、咄嗟の時に損得関係なく行動できる警察官が、24時間365日、雨の日も風の日も、暑い日も寒い日も皆さんを見守っているということを忘れないでください。

【考え方を変えよう】

警察官は24時間365日警察官です。

おわりに

今私は、ユーロポール主催のカンファレンスにスピーカーとして参加するため、オランダに向かう飛行機の中で原稿を書いています。警視庁警察官を志し、警察学校を卒業して交番勤務をスタートした時に交番の受け持ち区が書かれた地図を必死で覚えたことを昨日のことのように思い出します。まさか世界地図を見ながら仕事をするようになるとは当時夢にも思いませんでした。

「夜寝ないで仕事ができます。張り込みや取調べができます。気合と根性だけは誰にも負けません！」

大学を卒業して警察官になった私にとって、民間企業で働くなんて1ミリも想像していませんでした。「バリバリ働いて利益を上げるなんてムリムリ。こんな偏った知識しか持っていない人間を民間の会社が雇ってくれるわけないじゃん！」と。

しかしいざ飛び込んでみると、大なり小なりさまざまなトラブルが日々起こっており、正解がない問いに「あーでもないこーでもない」と人事や労務担当者が悩みながら手探りで対応していること、「それって本当にベストな解決方法なの？　ほかに検討してみた？」と上司に問われ、「はい、いや、ベストかどうかと言われても……」と回答に窮している同僚の姿を何度も目の当たりにしました。そんなときに、我々が「警察ではこのように処理するんですよ、だからＯＫです」「その社員は嘘ついてますよ。そんなことあり得ませんから。我々が話を聞きましょうか？」とアドバイスするだけで感謝されるんです。そんなことが実際に（それなりに）あるんです。

一方、警察官だったから客観的な証拠が収集できた、証拠がないのにこれ以上調査しようがない、嘘をつかれたら追及できないな……など、民間人としてトラブルを解決することの難しさやもどかしさ、限界も日々感じています。

トラブル対応に正解はありません。その時々でよりベターな対策を講じ、もっと良い解決策はなかったのか、もっとスマートに処理できなかったかと現状に満足することなく常に知識や情報をアップデートしていく必要があります。

本書ではベールに包まれた警察とよりスムーズに連携する方法や、知っておくと役立つ情報をまとめました。もちろん本書に書いてある対応がすべてベストかというとそうではありません。しかし、「ウチでも同じようなことがあった」「あのときそうすれば良かったのか、もし同じようなことが起こったら参考にしよう」など皆さんに身近に感じてもらい、今後発生するかもしれないトラブル対応の一助となればこんなうれしいことはありません。

林 秀人

著者略歴

海老谷 成臣（えびたに なるおみ）

大手総合オンラインサービス　リスク管理部長

静岡県富士市出身の元警視庁警察官。交番、刑事、機動隊、白バイ、爆弾処理班を経てサイバー犯罪捜査の道へ。

アメリカ NCFTA（National Cyber Forensics & Training Alliance）のインターナショナルタスクフォースに派遣、世界各国のサイバー捜査官との共同捜査に従事。その後カーネギーメロン大学 CyLab において客員研究員としてサイバーセキュリティ及び犯罪捜査手法の研究及び講義を行う。警視庁を 20 年で退職し、外資系金融企業の捜査チーム責任者に就任。サイバーセキュリティ法制学会会員。2021 年から IT 企業の犯罪対策を含むリスク管理全般を担当。CISSP。趣味は靴磨きと包丁研ぎ。

林 秀人（はやし ひでと）

大手総合オンラインサービス　リスク管理部犯罪対策課長

大阪府茨木市出身の元警視庁警察官。交番勤務、機動隊で水難救助、その後刑事を経てサイバー犯罪対策、捜査を行う。

警察庁生活安全局情報技術犯罪対策課（現：サイバー警察局サイバー捜査課）に出向し、国際捜査共助業務（G7 コンタクトポイント）を担当、FBI をはじめ外国捜査機関との合同オペレーションに参加。その後警視庁を退職し、2021 年から IT 企業の犯罪対策を担当。サイバーセキュリティ法制学会会員。趣味はジョギングとバンド活動。